聖賢之道

湯一介

戊子年夏

國學基本教材

唐诗选读

李宏哲　可延涛◎编注

浙江古籍出版社

图书在版编目（CIP）数据

唐诗选读 / 李宏哲，可延涛编注 .— 杭州：浙江古籍出版社，2013.9

国学基本教材

ISBN 978-7-5540-0144-8

Ⅰ.①唐… Ⅱ.①李… ②可… Ⅲ.①唐诗－诗集 Ⅳ.① I222.742

中国版本图书馆 CIP 数据核字（2013）第 204032 号

唐诗选读

李宏哲　可延涛　编注

出版发行　浙江古籍出版社

（杭州体育场路 347 号　电话：0571-85176986）

网　　址　www.zjguji.com

责任编辑　陈临士　潘铭明

特约编辑　李　凯　杨熙雯

责任校对　余　宏

美术编辑　刘　欣

责任印务　贾　敏

照　　排　杭州立飞图文制作有限公司

印　　刷　富阳美术印刷有限公司

开　　本　880×1230　1/32

印　　张　4.5

字　　数　104 千字

版　　次　2013 年 9 月第 1 版

印　　次　2013 年 9 月第 1 次印刷

书　　号　ISBN 978-7-5540-0144-8

定　　价　9.00 元

“国学基本教材”编辑委员会

统　　筹：

孙劲松　向　珂　蒋蔚芳　周金芝

主　　编：李耐儒

编　　委：

李南晖　陆有富　刘乃溪　徐　骆　须　强

可延涛　李　凯　刘　舫　毛文琦　房春草

李宏哲　张　华　黄晓芳　赵立学　介江岭

张志强　姜李勤　白　坤　晏子然　施仲贞

张　琰　汪佳敏　姚之均　余雅汝　干璐娜

本册编注：李宏哲　可延涛

总　序

秋霞圃书院创办有年，在民间推动国学普及工作，志在以独立之精神、自由之思想为宗旨，促进古今中外文化思想与学术的交流，为中华民族文化的复兴而尽心尽力。其志可嘉，其行可感！

近年，秋霞圃书院耐儒兄主持编撰“国学基本教材”。本套国学教材集复旦大学、武汉大学、南开大学、中山大学、华东师范大学、上海师范大学等名牌院校的二十多名青年学人，采各种版本的国学读本之长，广泛吸取中小学一线语文教师的教学经验，精心编撰，是中小学生比较理想的国学读本，也是便于教师们使用的、较为系统的国学教材。

读本的篇目有：《弟子规》、《三字经》、《千字文》、《千家诗选读》、《幼学琼林》、《诗词格律》、《唐诗选读》、《宋词选读》、《论语》（上、下）、《史记选读》（上、下）、《大学　中庸》、《诗经选读》、《孟子》（上、下）、《左传选读》、《颜氏家训》、《诸子文选》（上、下）、《汉魏六朝文选》、《唐宋文选》、《礼记选读》、《楚辞选读》。每册有指导性概述，有经典原文，有对原文的注释与新译（赏析），并配上文史链接（延伸阅读）、思考讨论等，图文并茂，准确生动，具有可读性与系统性。

梁启超先生说过，《论语》、《孟子》等经典“是两千年国人思想的总源泉，支配着中国人的内外生活，其中有益身心的圣哲格言，一部分久已在我们全社会形成共同意识，我们既做这社会的一分子，总要彻底了解它，才不致和共同意识生隔阂”。这就是说，“四书”等经典表达了以“仁爱”为中心的“仁义礼智信”等中华民族的核心价值观念，这是中国古代老百姓的日用常行之道，人们就是按此信念而生活的。

中国文化的大传统与小传统是打通了的。国学具有平民化与草根性的特点。中国民间流传着的谚语是：“勿以善小而不为，勿以恶小而为之”；“老吾老以及人之老，幼吾幼以及人之幼”；“积善之家必有余庆，积不善之家必有余殃”。这些来自中国经典的精神，透过《弟子规》、《三字经》、《百家姓》、《千字文》、《千家诗》等蒙学读物及家训、族规、乡约、谱牒、善书，通过大众口耳相传的韵语故事、俚曲戏文、常言俗话，成为“百姓日用而不知”的言行规范。

南宋以后在我国与东亚的民间社会流传甚广、深入人心的朱熹《家训》说:“事师长贵乎礼也,交朋友贵乎信也。见老者,敬之;见幼者，爱之。有德者，年虽下于我，我必尊之；不肖者，年虽高于我，我必远之。”“人有小过，含容而忍之；人有大过，以理而谕之。勿以善小而不为，勿以恶小而为之。”又说，“勿损人而利己，勿妒贤而嫉能。勿称忿而报横逆，勿非礼而害物命。见不义之财勿取，遇合理之事则从……子孙不可不教，童仆不可不恤。斯文不可不敬，患难不可不扶。”朱子说此乃日用常行之道，人不可一日无也。应当说，这些内容来源于诗书礼乐之教、孔孟之道，又十分贴近大众。它内蕴着个人与社会的道德，长期以来成为老百姓的生活哲学。

王应麟的《三字经》开宗明义：“人之初，性本善。性相近，习相远。苟不教，性乃迁。教之道，贵以专。”这就把孔子、孟子、荀子关于人性的看法以简化的方式表达了出来。儒家强调性善，又强调人性的养育与训练。

清代李毓秀《弟子规》的总序说:“弟子规，圣人训。首孝弟，次谨信。泛爱众，而亲仁，有余力，则学文。”以下分成“入则孝”、“出则悌”、“谨而信”、“泛爱众而亲仁”等几部分。这些纲目都来自《论语》。《弟子规》中对孩童举止方面的一些要求，如站立时昂首挺胸、双腿站直，见到长辈主动行礼问好，开门关门轻手轻脚，不用力甩门等，这些规范都是文明人起码应有的，是尊重他人而又自尊的体现。又如:“晨必盥，兼漱口，便溺回，辄净手。冠必正，纽必结，袜与履，俱紧切。”“斗闹场，绝勿近，邪僻事，绝勿问。将入门，问孰存，将上堂，声必扬。”“用人物，须明求，倘不问，即为偷。借人物，及时还，后有急，借不难。”这都是有助于文明社会的建构的，是文明人的生活习惯，也是今天社会公德的基础。

朱柏庐在《朱子治家格言》起首的一段说 :“黎明即起，洒扫庭除，要内外整洁;既昏便息，关锁门户，必亲自检点。一粥一饭，当思来处不易 ; 半丝半缕，恒念物力维艰。”这些都是平实不过的道理，体现到一个人身上就是他的家教。旧时骂人，说某某没有家教，那是很重的话，让其全家蒙羞。我们不是要让青少年一定要做多少家务，而是要他们从小学就动手打理好自己与家庭的事情，不要过分依赖父母，依赖他人，能够自己挺立起来，培养责任意识。同时，知道一粥一饭、半丝半缕都是辛劳所得，我们能够懂得去尊重家长与别人的劳动。如果我们真的有敬畏之心，就知道珍惜，不应该浪费。

南开中学的前身天津私立中学堂成立于 1904 年 10 月，老校长严范孙亲笔写下“容止格言”:“面必净，发必理，衣必整，纽必结。头容正，肩容平，胸容宽，背容直。气象:勿傲，勿暴，勿怠。颜色:宜和，宜静，宜庄。”这四十字箴言来自蒙学，又是该校对学生容貌、行止的基本要求。校内设整容镜，师生进校时都要照镜正容色。

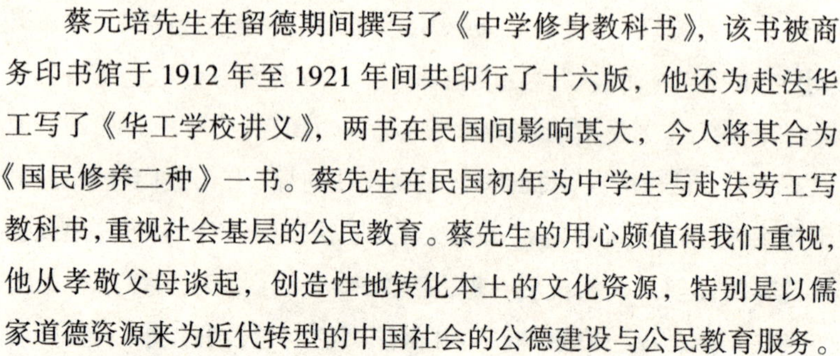

后来张伯苓先生治校，坚持了这些做法。

蔡元培先生在留德期间撰写了《中学修身教科书》，该书被商务印书馆于1912年至1921年间共印行了十六版，他还为赴法华工写了《华工学校讲义》，两书在民国间影响甚大，今人将其合为《国民修养二种》一书。蔡先生在民国初年为中学生与赴法劳工写教科书,重视社会基层的公民教育。蔡先生的用心颇值得我们重视，他从孝敬父母谈起，创造性地转化本土的文化资源，特别是以儒家道德资源来为近代转型的中国社会的公德建设与公民教育服务。

现今南京夫子庙小学的校训是“亲仁、尚礼、志学、善艺”。我认为这是非常好的。对孩童、少年的教育，首先是培养健康的心性才情，从日常生活习惯，从待人接物开始，学会自重与尊重别人。

我们今天强调成人教育，因为仅有成才教育是不够的，成才教育忽略了我们作为完整的人、健康的人所必需的一些素养，它在人格养成方面几乎是空白。这不是大学教育才有的问题，而是幼儿园、中小学教育就该关注的。养育青少年的性情，需要家庭、学校、社会的配合。

国学当中有很多修身成德、培养君子人格的内容。中国古典的教育，其实就是博雅教育。传统的教育并不是道德说教，也不是填鸭式满堂灌的教育，而是春风化雨似的，让学生在点滴中有所收获并自己体验，如诗教、礼教、乐教等。

我觉得应该让孩子们处在良好的文化氛围中。家长、老师们要以身作则、言传身教，这对孩子们影响很大。家长、老师有义务端正自己的言行，尤其在孩子们面前。要培养孩子分辨是非的能力，多在性情教育上下工夫，关注孩子的心理健康，多与孩子交流，洞察他们的情感，并作正确的引导。现在一些家长做不到以身作则，他们撒谎骗人，打骂斗狠，不尊重老人，这些都会给孩子的成长烙下负面的印记。

我们也希望同学们能趁着年轻记性好，多读些经典，最好能背诵一些，其中的意思以后可以慢慢领悟。南宋思想家陈亮说过：“童子以记诵为能，少壮以学识为本，老成以德业为重……故君子之道不以其所已能者为足，而尝以其未能者为歉，一日课一日之功，月异而岁不同，孜孜矻矻，死而后已。”

本丛书所收经典与蒙学读物中有很多圣哲格言，都足以让我们受用终身。我们一直希望能有多一些的国学经典进入中小学课堂，至少让“四书”进入教材。我们希望能多一些国文课，让中小学生能接受到系统的传统语言与文化教育。中华民族有很多优根性，更需大大弘扬。

是为序。

郭齐勇

癸巳春于珞珈山

目　录

概　述

一、唐诗总论

唐诗，是中国文学艺术宝库中最为宝贵的财富，是文学王冠上最璀璨的明珠。它上承先秦汉魏六朝，下启宋元明清，达到了中国古典诗歌艺术的顶峰。从形式上看，五绝、五律、七绝、七律等诗歌体裁均于这个时期成熟；从内容上看，日常生活、宴饮聚会、打仗出征，都成了诗歌描述的对象；从艺术上看，比兴寄托、情景交融、夸张铺陈等手法都得到了运用。音律的协调，艺术的精湛，共同形成了绚烂多姿的唐诗艺术。

在唐代，诗歌有了“今体”、“古体”之分。“今体”是指唐代成熟并流行的律诗和绝句；“古体”是指不拘格律，形式较自由的诗体。汉魏六朝诗就是古体诗的代表，而唐人的成就多在今体诗，并开启了后世古典诗歌创作的规范。

千百年来，唐诗的流传最为广泛，影响也最为深远，很多人对它的喜爱远远超过其他时代、其他体裁的文学作品。正是到了唐朝，诗有了格律，有了规范，真正趋于成熟；也正是有了唐诗，有了李白、杜甫、白居易、李商隐等伟大的诗人，我们才可以自豪地宣称，中国是一个诗的国度。

二、唐诗发展概况

初唐是唐诗的发轫期，以“初唐四杰”为代表的诗人拉开了

唐诗兴盛的序幕，“海内存知己，天涯若比邻”的慷慨之声一扫六朝委靡之气，预示着新兴王朝奋发向上的精神风貌。而陈子昂无疑是“四杰”之外又一个倡导“风骨”、高扬时代精神的开路者，他以“前不见古人，后不见来者。念天地之悠悠，独怆然而涕下”的厚重开阔，为唐诗定下了一个雄浑的调子。

唐玄宗开元、天宝年间是唐诗的成熟期。这个时期大家涌现，名作迭出。诗坛大家“李杜”（李白、杜甫）、“王孟”（王维、孟浩然）、“高岑”（高适、岑参），均出现于这个时期。他们高扬起生命的旋律，怀着“天生我材必有用，千金散尽还复来”的志向，去体验“轮台九月风夜吼，一川碎石大如斗”的边塞风光；他们调动起心灵的细腻，吟着“明月松间照，清泉石上流”的清音，去感受“细雨鱼儿出，微风燕子斜”的自然奇观。后世文人学诗，有“诗必盛唐”之说，这正是因为“盛唐之音”的丰富和博大。

“安史之乱”打破了霓裳羽衣的春梦，大唐繁华不再。其后的一百多年间，唐王朝困难重重，出现了藩镇割据、“牛李”党争与宦官专权三大顽症。然而，即使在风雨如晦的年代里，唐诗仍保持了强大的感发生命。白居易、元稹、韩愈、柳宗元、韦应物、李贺等中唐诗人，不唯前人是依，他们独辟蹊径，树立了唐诗的另一高峰，那就是注重结构上的奇崛突兀，如“山石荦确行径微，黄昏到寺蝙蝠飞”；还有就是注重语言上的瑰丽多变，如“昆山玉碎凤凰叫，芙蓉泣露香兰笑”。他们从另一个侧面开拓了唐诗的生命力，丰富了唐诗这座大花园。

晚唐多事之秋，国家已千疮百孔，诗人们的吟唱多了些悲凉，少了些开阔，以李商隐、杜牧、韦庄为代表的诗人，思想更加内敛，感情更加细腻。“庄生晓梦迷蝴蝶，望帝春心托杜鹃”，寄托了多少美丽的向往；“无情最是台城柳，依旧烟笼十里堤”，饱含了多少世变的惆怅。这是唐诗的最后闪光，但那饱含真情的绝唱仍在千年后的今天回荡。

好的艺术作品必然具有持久的生命力，这种生命力就在于它能穿越至今，使今天的人读来仍能被感动、受启发，而这正是唐诗的魅力所在。唐诗以其不竭的艺术生命，滋养了一代代中国人，感动了一代代中国人。这本小书如能使读者在唐诗花园里撷芳之时，多一点启迪，少一丝迷惘，那我们的目的也就达到了。

三、关于本书

本书所选诗仅四十八首，故一般以大家、名家之作为主。从体裁上看，兼及五七绝、五七律、古风、乐府各体的选入。

所选作品思想性、艺术性并重，并尽量避免与《唐诗三百首》、《千家诗》等传统普及读物重复，但又不拘泥，对一些确实能够很好地代表诗人风格特征、表现时代思潮的作品，尽管《唐诗三百首》中已选过，我们仍将其选入此编。

本书所选诗依时代先后，按传统的初、盛、中、晚唐诗分类法，以便于读者把握唐诗发展的脉络，感受各个阶段唐诗的艺术魅力。全书共分五章，其中初唐诗选七首，盛唐诗选二十二首，中唐诗选十首，晚唐诗选九首。盛唐诗歌因为艺术成就最高，对后世影响最大，故所选诗篇较多，并将其分成上、下两章，以便于阅读。

为便于读者加深对诗歌内容的理解，每首诗后设有注释、赏析、文史链接、思考讨论四个栏目。

在撰写过程中，本书主要参考了如下著作：《叶嘉莹说初盛唐诗》（中华书局，2008 年），《叶嘉莹说中晚唐诗》（中华书局，2008 年），陈伯海《唐诗汇评》（浙江教育出版社，1995 年），马茂元《唐诗选》（人民文学出版社，1960 年），高步瀛《唐宋诗举要》

（上海古籍出版社，1978 年），等等。除上述著作外，本书亦参阅了一些其他相关唐诗论著，限于篇幅，不再一一列出，特此致谢。

由于编者水平有限，不足之处在所难免，恳请专家、学者提出宝贵意见，以待本书进一步完善。

第一章　大雅重振——初唐诗

咏　蝉

虞世南[1]

垂緌饮清露[2]，流响出疏桐[3]。
居高声自远，非是藉秋风[4]。

注释

[1]虞世南（558—638）：字伯施，越州余姚（今浙江余姚）人。官至秘书监。初唐著名诗人，其在书法上更是造诣颇深，与欧阳询、褚遂良、薛稷并称为唐初四大书法家。　[2]垂緌（ruí）：垂下触须来。緌，本指古代官帽上下垂的带子，这里指蝉的触须，用来饮食。[3]流响：指蝉的鸣叫声远播。疏桐：梧桐树的叶子疏落有

致。　　[4] 藉（jiè）：通“借”，凭借的意思。

赏析

古人将蝉比作高士，因为它生活在高处，并且靠吸食露水生活（当然，现代科学证明，蝉的生活习性并非如此），品性高洁。这首诗就是用蝉的品格来比拟自己品性高洁。

前两句写出了蝉的不同凡俗，它用长长的触角吸食着清清的露水；清脆的吟声从稀疏的梧桐树传出，传得很远。这一切是因为什么呢？诗人在后两句点出了原因：这是因为蝉品行高洁，它居住于高大的树木之上，不与世俗同流合污，有自己的操守，故能名声远播，并非是借助于秋风的传扬。清露和梧桐在古诗里是极其美好的两种事物，蝉与这两种东西经常相伴，品行岂能不高？末两句颇含哲理，一个人品德、修行的高洁——即“居高”，是其声名远播、流传千古的最重要原因。

全诗比兴寄托，遗貌得神，写出自己不求名誉而声名自广的原因，启迪人们要追求高尚的人格，有独立的操守。

文史链接

“五绝”虞世南

虞世南是初唐著名诗人、书法家，他外形瘦弱，为人沉静寡欲，而立朝刚正不阿，敢于指出皇帝得失。比如他数次上疏，劝诫太宗皇帝要减少游猎活动，要勤于政事，对唐代第一个盛世——“贞观之治”的出现起到了巨大作用。这一切使得虚怀纳谏的唐太宗对他很是推崇，他曾经赞扬虞世南的德行、忠直、博学、文辞、书翰为“五绝”，并将其誉为“当代名臣，人伦准的”。

贞观十二年（638），虞世南病故，唐太宗很是悲痛，认为朝廷再没有这样的直臣了。贞观十七年（643），唐太宗修成凌烟阁，命画工将二十四功臣画像绘于其内，虞世南就是其中之一。

思考讨论

初唐四杰之一的骆宾王有一首《在狱咏蝉》诗："西陆蝉声唱，南冠客思深。不堪玄鬓影，来对白头吟。露重飞难进，风多响易沉。无人信高洁，谁为表予心？"结合这首诗，体会古代诗人对蝉的赞美。

咏 风

王 勃[1]

肃肃凉景生[2]，加我林壑清[3]。
驱烟寻涧户[4]，卷雾出山楹[5]。
去来固无迹，动息如有情[6]。
日落山水静，为君起松声。

注释

[1]王勃（650—676）：字子安，绛州龙门（今山西河津）人，初唐著名诗人，与骆宾王、杨炯（jiǒng）、卢照邻并称"初唐四杰"。年幼被荐入朝，曾官朝散郎，后入沛王府任侍读，补虢州参

军。唐高宗上元三年（676），王勃南下探亲，渡海溺水，惊悸而死，年仅 27 岁。其诗风格调高华，显示出齐梁诗风向盛唐诗转化的趋势。　[2]凉景：秋天的景色。　[3]林壑（hè）：山林与涧谷。[4]涧户：山谷中的房屋，常为隐士所居。　[5]山楹（yíng）：山中的房屋。　[6]动息：活动与安静。

赏析

这首五古咏物诗，根据诗意，当为王勃被逐出沛王府，居于剑南时作。全诗读来清切感人，灵动自然。时间从早晨写到傍晚，将“风”一天的行踪写了出来，并结合触觉、视觉、听觉等感官体验，将无形无情之风写得有形有情，堪称神来之笔。

起笔从触觉的角度感受风的有形。初秋的早晨，肃肃清风吹过，使山居之人更加感受到山野的清旷，莹心滤神，凉爽逼人。接着诗人从其他角度写风的有形与可感，它既将世外的风烟带入山间，寻找到了那不易被外界发现的隐士的居处；同时，又将山谷的晨雾带到世俗之外。第三联，诗人从心底感慨风之来去无踪，然而其动静又真切可感，像个有情的人一样，颇为亲切。最后一联以景语作结，到日暮黄昏、万籁俱寂之时，风又吹动松林飒飒作响，仿佛是为山中之人——即诗人自己奏乐一样。

全诗文笔轻灵，用了“驱”、“寻”、“卷”、“出”等动词，将无生命之风写得具体可感，韵味无穷，堪为初唐咏物诗之一绝。

文史链接

王勃被逐

王勃，初唐四杰之首，他成名很早，才识卓越。唐高宗乾封初（666—668），王勃因向皇帝进献《宸游东岳颂》、《乾元殿颂》而名闻一时。沛王李贤召其为侍读，颇欣赏王勃的才能。

但一件小事改变了他的命运。当时流行斗鸡，王勃逞才使气，写了一篇《檄英王鸡》（意为“讨伐英王的鸡”）。高宗知道后，认为他挑拨是非、有才无行，于是将其逐出沛王府。但这并不能抑制王勃出众的才华，他客居剑南（今属四川）时，常常登山眺望，以诗遣情，创作了一系列优秀的作品。

思考讨论

诗人需要对自然界的事物有着深刻细腻的感受。试指出这首诗中的拟人写法，体会诗人对大自然事物的热爱之情。

从军行

杨　炯[1]

烽火照西京[2]，心中自不平。

牙璋辞凤阙[3]，铁骑绕龙城[4]。

雪暗凋旗画[5]，风多杂鼓声。

宁为百夫长[6]，胜作一书生。

注释

[1] 杨炯（650—692）：华阴（今属陕西）人。“初唐四杰”之一。

幼聪敏，被举神童。上元三年（676）应制举及第，授校书郎。后又任崇文馆学士，迁詹事、司直。垂拱元年（685），降官为梓州司法参军。天授元年（690），任教于洛阳宫中习艺馆。武则天如意元年（692）秋，改任盈川县令，吏治以严酷著称，卒于任所。

[2] 烽火：古代边防报警的烟火。西京：指长安，今陕西西安。

[3] 牙璋（zhāng）：本指古代发兵时所用兵符，这里代指统兵的将帅。凤阙：汉代宫殿名，这里代指朝廷。 [4] 龙城：汉时匈奴地名，为匈奴祭天之处。在今蒙古人民共和国塔米尔河岸。 [5] 凋：凋零，褪去。 [6] 百夫长：古代军队里统率百人的小头目。

赏析

《从军行》是乐府旧题，该诗是以古题写今事。初唐时期，唐朝军事强大，突厥被分裂为东西两部，实力大损。但边境并未得到真正安宁，中原王朝与少数民族的战争仍时有发生。而太宗皇帝更将二十四功臣绘像于凌烟阁，以为天下表。其中如程知节、秦琼等多是以军功晋身，故初唐“尚武”精神流行一时。文人们自然也不例外，心中都涌动着一股投笔从戎的激情，希望能够立功边疆、求取功名。

起句写烽火已经烧到了京畿（jī）之地，威胁到首都长安。这当然是夸张的写法。接着笔锋一转，写出了诗人作为一介书生，心中亦无法平静，产生了强烈的报国之情。第二联写朝廷积极应对：将军带着调兵的符信向皇帝辞行，踌躇满志；三军将士远赴边疆，直捣匈奴的老巢——龙城。将军行的场面写得严肃、凝重。第三联写边地大雪茫茫，旗帜上的龙凤图案似乎褪色不少；塞外寒风萧萧，军队的鼓鼙（pí）之声更显激烈。这一联极好地描述出了边境的苍凉与悲壮，是前线特有的景象。需要指出的是，这些景象都是诗人想象之辞。纵其一生，杨炯并未有从军边塞的机会。但诗人的拳拳报国之心已经跃然纸上。尾联点题，与“从军”之题目相呼应，诗人宁愿做一个统领一百兵丁的百夫长，也不愿再埋头书堆、皓首穷经了，表达了他急切的从军之志。

这首诗展现了初唐士人要求建功立业、报效祖国的决心。全诗语言凝练，风骨凌然，雄浑刚健，一反六朝诗的纤丽绮靡，实为初唐诗的杰作。

文史链接

特立独行的杨炯

杨炯聪明博学，才十一岁的他就通过了唐代的“神童”科考试。他二十多岁的时候，又通过了朝廷的一次“制科”考度，被授予校书郎这个官职。杨炯少年得志，很是自负。

“初唐四杰”在当时已经很有名，人们习惯用“王杨卢骆”来代称。有一次，杨炯也听到了“王杨卢骆”的排行，他有点不悦地说：“我很惭愧排在了卢照邻前面，但是呢，我又不认为我的才华比王勃差，我很羞耻排在了王勃之后。”这说明杨炯具有强烈的自我意识，不愿任人安排。

思考讨论

中唐诗人李贺《南园》诗云：“男儿何不带吴钩，收取关山五十州？请君暂上凌烟阁，若个书生万户侯。”仔细阅读这首诗，从中理解唐代诗人的报国理想。

芳 树

卢照邻[1]

芳树本多奇，年华复在斯。
结翠成新幄[2]，开红满故枝[3]。
风归花历乱[4]，日度影参差[5]。
容色朝朝落，思君君不知。

注释

[1]卢照邻（636—695）：字升之，自号幽忧子，幽州范阳（今河北涿州）人。“初唐四杰”之一。曾为邓王府典签，后拜新都尉，因染风疾去官。调露年间迁居具茨山下，疾病日益严重，不堪其苦，自投颍水而死。 [2]结翠：指花的叶子繁茂。幄（wò）：幔帐。这里指枝叶下垂，形似幔帐。 [3]红：指花朵。 [4]历乱：花的繁盛烂漫。 [5]日度：太阳移动。

赏析

初唐四杰均才高而命厄，尤其是卢照邻，除仕途坎坷外，又身多疾病。此诗借芳树自喻，表达了无人赏识、青春消逝的悲哀。

开篇直接道出芳树的高华美妙，并在适当的节令花朵盛开。于是，那翠绿茂盛的叶子结成巨大帷帐，充满了勃勃生机；那鲜明娇艳的花朵开满了枝头，显得耀眼夺目。然而这一切无人赏识。只有东风拂过时，繁盛的花朵才得到一丝抚慰；只有日影移动时，花的身姿才更显绰约可爱。前三联将芳树的奇与美写了出来，给人“杂树红英发”的美好感受。然而，人人都知道，花开是不长久的，那鲜艳璀璨的生命只有短短的一瞬，是不可久留的。时令过后，那花色就逐渐浅了、淡了，直至凋落飘零。最后一联以花喻人，用女子的口吻写对爱人的思念：我美好的年华就在这样无望的等待中逝去了，而我倾慕的人根本不知道我在思念他！这真是让人可悲可叹的事，却也无可奈何。尾联奇警含蓄，让人感受到蹉跎青春的可悲、年华流逝的无奈，给人以警示。

全诗文笔清丽，借花喻人，展示了才士不遇的悲慨，言有尽而意无穷。

文史链接

一生辛酸的卢照邻

唐代是很重视门第出身的，有士族（贵族家庭）和庶族（平民家庭）之分。卢照邻虽然才华出众，却由于出身底层、家境贫寒而受到权贵的歧视。后来他染上风疾，行动不便，一些做官的朋友纷纷给予他资助。

晚年的卢照邻在具茨山下买园居住，并引颍水环绕其住宅。

他自嘲道："高宗皇帝的时候，朝廷以吏为尊，而自己是一儒士；到武后的时候，又尚法治，而自己则开始学道；后来朝廷纳贤，不讲出身，而自己已经因病不能再出山了。"于是，他作了《五悲文》，以感慨命运的不公平，并自号为"幽忧子"。

思考讨论

《论语·子罕》云："子在川上曰：逝者如斯夫，不舍昼夜。"意思是说，时间流逝如此之快，白天黑夜都不停息。结合卢照邻的《芳树》诗，感悟古人对时光的珍惜，树立正确的理想。

于易水送人[1]

骆宾王[2]

此地别燕丹[3]，壮士发冲冠[4]。
昔时人已没，今日水犹寒[5]。

注释

[1]易水：在河北西部。源出易县境，入南拒马河。战国时，荆轲入秦行刺秦王，燕太子丹饯别于此。　[2]骆宾王（约638—约685)：字观光，婺州义乌（今浙江义乌）人。"初唐四杰"之一。龙朔初年，担任道王元庆的属官。咸亨年间，曾从军塞上。上元元年（674）回京，历武功、长安主簿，擢侍御史。因上书言事，被诬下狱。后出任临海县丞，怏怏失志，弃官去。武则天光

宅元年（684），徐敬业起兵讨伐武则天，骆宾王曾为徐敬业作檄文，后徐敬业兵败，骆亡命不知所之。 [3] 燕丹：指燕太子丹。丹曾经作为人质入秦，受到秦王的欺侮，遂发誓报复。回国后，遇到荆轲，善待之。轲亦感于知遇之恩，遂入秦行刺。 [4] 壮士发冲冠：《史记·刺客列传》载："高渐离击筑（一种乐器），荆轲和而歌，为变徵之声。士皆垂泪涕泣。又前歌曰'风萧萧兮易水寒，壮士一去兮不复还'。复为羽声慷慨，士皆瞋目，发尽上指冠。" [5] 水犹寒：这里是化用"风萧萧兮易水寒，壮士一去兮不复还"之句。

赏析

著名作家郁达夫在《怀鲁迅》中说："没有伟大的人物出现的民族，是世界上最可怜的生物之群；有了伟大的人物，而不知拥护、爱戴、崇仰的国家，是没有希望的奴隶之邦。"中华民族之所以伟大，一个重要的原因就是因我们悠久的历史上出现了很多英雄人物。这首短诗就是怀念战国时的英雄人物荆轲而作。

诗人在古易水边与友人作别，引发了无穷感慨。数百年前，这里上演了最悲壮的一幕：荆轲在这里向朋友们辞行，明知是"不可为而为之"，义无反顾踏上了入秦的不归路。这是多么荡气回肠的故事！高渐离在此击筑，荆轲和而歌，送行的众人"发尽上指"，这是多么慷慨悲壮的场面！所送之人即将入于有"虎狼"之称的秦国去行刺秦王，此行必然是一去不复返了。千年来，虽然已经物是人非，只能在此作吊古之想了。可回想起当年的悲壮场面，千载之下犹令人动容。结尾化用"风萧萧兮易水寒，壮士一去兮不复还"句，但用"水犹寒"三字点出了千载之下荆轲的感人气魄，其人虽已故去多年，但其精神力量却始终鼓舞着后人。这就是英雄人物的力量，即所谓的“奋乎百世之上，百世之下，闻者莫不兴起也”。(《孟子·尽心下》) 这其实也是骆宾王英雄气概的自况。

全诗寥寥数句，却一气挥洒，笔调苍凉、寓意深远，表现了荆轲大无畏的英雄气概，令人回味无穷。

文史链接

易水送荆轲

战国末年，其他六国都畏惧有“虎狼”之称的秦国，纷纷与秦国结好，燕国派太子丹去秦国作人质，丹受到秦王嬴政的欺辱，后来逃回燕国，立志报复。于是，丹四处招纳人才，最后遇到了荆轲，发现他是适合的人选。

荆轲受到太子丹的厚待，为了报恩，决定去秦国行刺。大家都知道这一去，无论成功与否，都必然是有去无回了。在易水这个地方，大家为荆轲送行，穿着白衣，戴着白冠，气氛庄严肃穆。荆轲的好友高渐离击筑，荆轲唱出了千古名句“风萧萧兮易水寒，壮士一去兮不复还”，听的人都流下了泪。荆轲饮了几杯酒后，向众人作别，头也不回地向秦国出发了。

荆轲到秦国后，虽然没有行刺成功，但他大无畏的英雄精神和不畏强权的勇气，一直激励着后世的人们。

思考讨论

骆宾王《送郑少府入辽共赋侠客远从戎》诗云：“边烽警榆塞，侠客度桑乾。柳叶开银镝，桃花照玉鞍。满月临弓影，连星入剑端。不学燕丹客，徒歌易水寒。”结合此诗，理解骆宾王的性格特征，说说其真正推崇荆轲的究竟是什么。

感遇·其二

陈子昂[1]

兰若生春夏[2]，芊蔚何青青[3]。
幽独空林色[4]，朱蕤冒紫茎[5]。
迟迟白日晚[6]，袅袅秋风生[7]。
岁华尽摇落[8]，芳意竟何成[9]？

注释

[1] 陈子昂（约661—702）：字伯玉，梓州射洪（今属四川）人。睿宗文明元年（684）登进士第，拜麟台正字。曾从军北讨契丹，不为所用。后辞官回乡，为县令段简构陷入狱，忧愤而死。他是唐诗风气转变的先驱，在唐诗史上占有重要的地位。 [2] 兰若：香草名。多年生草本植物，气味芳香，古代常用来比拟君子。 [3] 芊蔚（qiān yù）：草木茂盛的样子。蔚，通“郁”。 [4] 幽独：孤独幽静。 [5] 朱蕤（ruí）：红色的花朵。 [6] 迟迟：阳光温暖、光线充足的样子。 [7] 袅袅：指风轻轻吹拂。 [8] 岁华：泛指草木，这里指芳草香花。 [9] 芳意：美好的志意。

赏析

中国诗歌传统源于《诗经》、《楚辞》，后世的文学创作均受此影响。其中最重要的就是赋、比、兴的写法。比就是比喻，用一事物来比喻另一个事物。这首《感遇》诗通过惋惜兰若的凋零来比喻才士得不到重用的不幸遭遇。

生在春夏之交的兰若，得天时之滋养、雨露之灌溉，碧绿娇

嫩，生机勃勃。这是它们生长最为旺盛、喜人的时候。但这些美丽的兰若长在幽静无人的树林里，虽然有红色的花朵、紫色的茎秆，但根本无人赏识。随着日子一天天地过去，秋天到来了，吹起了袅袅的秋风。美丽的兰若转眼就凋零了，它的美丽芬芳未能长久，一片芳心只能随风飘落。一个“尽”字写出了兰若摇落的彻底，一个“竟”字写出了诗人心中的哀婉与悲叹。

中国诗词中有“悲秋”的传统。这首诗就是如此，诗人敏感地感受到秋天草木摇落时，生命落空无成的悲哀。

文史链接

陈子昂的千古悲慨

武则天万岁通天元年（696），边境骚乱，陈子昂以参谋身份随着武攸宜出征契丹。武攸宜是武则天的侄子，平庸无能，依靠与武则天的亲戚关系攀上了高位。更让人担忧的是，武攸宜用兵无方、自以为是，因此屡打败仗。陈子昂多次献上奇谋，却不被采纳，反倒被贬为署军曹（一个比较卑微的官职）。

陈子昂内心极度苦闷，悲愤而又无奈的他登上了燕昭王当年求贤的古台，望着苍茫的天地，写下了传诵千古的《登幽州台歌》：“前不见古人，后不见来者。念天地之悠悠，独怆然而涕下。”除此之外，他又写了三十八首《感遇》诗，表述了才士不遇的命运，被后人称为“古体之祖”。

思考讨论

仔细阅读陈子昂的《登幽州台歌》与《感遇·其二》，体会两首诗是如何抒发才士不遇的悲愤之情的。

送魏大从军[1]

陈子昂

匈奴犹未灭[2]，魏绛复从戎[3]。
怅别三河道[4]，言追六郡雄[5]。
雁山横代北[6]，狐塞接云中[7]。
勿使燕然上[8]，惟留汉将功。

注释

[1]魏大：作者友人，因在兄弟中排行第一，所以称“魏大”。 [2]匈奴：汉朝时的西北少数民族，经常骚扰中原。这里代指唐代边境的游牧民族。 [3]魏绛（jiàng）：即魏庄子，春秋时晋国的大夫。因提出“和戎”政策，为晋国赢得了不少和平时间。 [4]三河：汉代称河内、河东、河南为“三河”，在今天的黄河一带。 [5]六郡雄：指汉朝的陇西、天水、安定、北地、上郡、西河六郡，因为属边境之地，自古以来多出名将。 [6]雁山：指雁门山（今山西雁门关勾注山）。代北：代州（今山

西代县）以北，雁门山在代州北，故称“代北”。 [7] 狐塞：即飞狐塞，在今河北涞源北跨蔚县界。云中：原为战国赵地，秦时置郡，治所在云中县（今内蒙古托克托东北）。 [8] 燕然：山名，即今蒙古人民共和国境内的杭爱山。东汉永元元年（89），车骑将军窦宪领兵出塞，大破北匈奴，登燕然山，刻石勒功，记汉威德。

赏析

陈子昂所处的武则天时代，突厥已被唐王朝收服，不再侵扰中原。而边境的契丹、吐蕃等少数民族政权则强大起来，成为边患。于是中原王朝只能大举征兵，加强边防，这是“匈奴犹未灭”一语的背景。“匈奴”是汉朝时候的少数民族，在诗人所处时代已经不存在，在此诗中只是用以代指边廷的少数民族政权。魏绛是春秋时晋国名臣，曾提出“和戎”政策，使得晋国与周边少数民族化敌为友。这里诗人将友人与魏绛相比，一是友人与魏绛同姓，嵌入这一典故，正好说明要送之人；二是说明了诗人对魏大才能的认可。诗人与友人在关内依依惜别，送友人踏上了北去之路。临行前又劝勉友人，你要像那名震六郡的英雄名将们，努力建功立业。

后两联，诗人想象友人跨马越过代北高峻的雁门山，与云中接壤、地势险要的飞狐塞，然后到达边境。最后，诗人勉励友人说，不要使燕然山上的石碑只留下当年汉将刻石记功的文字。数英雄人物，还看今朝，我们大唐也有英雄豪杰呢！这是唐人要与汉人一竞高低的原因，也是唐朝成为中国历史上又一个强盛王朝的人心基础。因此后人论及中国历史的辉煌时代，往往以“汉唐”并称。

这首诗表面上是为友人送行，其实也暗含了自己的一腔抱负，读起来气势慷慨，激昂飞扬，有一股豪气在内。

文史链接

窦宪击破匈奴

窦宪（？—92），字伯度，扶风平陵（今陕西咸阳西北）人，东汉名臣。因为是皇后的哥哥，他专权跋扈，擅自杀死太后宠臣而被囚禁。为了将功赎罪，他请求带兵出征威胁汉朝边境的北匈奴，朝廷答应了他的请求。

永元元年（89），窦宪以车骑将军的身份率兵出击北匈奴。他先派遣骑兵一万多人在稽落山（今蒙古人民共和国额布根山）大败北匈奴，北匈奴单于逃走。窦宪善于用兵，不给敌人喘息机会，又领兵追击，出塞三千里。最后登上燕然山，命当时的著名文学家班固作赋，刻石记下了这次功绩。

班师回朝后，窦宪升为大将军，位列“三公”之上。后来窦宪又一次出征，在金微山大破北匈奴，北匈奴从此衰落，再也不能与汉朝抗衡了。

思考讨论

陈子昂《感遇》第三十五首自述道：“本为贵公子，平生实爱才。感时思报国，拔剑起蒿莱。西驰丁零塞，北上单于台。登山见千里，怀古心悠哉。谁言未忘祸，磨灭成尘埃。”结合此诗，理解陈子昂的“报国”情怀。

第二章　诗国高潮——盛唐诗（上）

观　猎

王　维[1]

风劲角弓鸣[2]，将军猎渭城[3]。
草枯鹰眼疾，雪尽马蹄轻。
忽过新丰市[4]，还归细柳营[5]。
回看射雕处，千里暮云平。

注释

[1] 王维（701—761）：字摩诘，太原祁（今山西祁县）人。开元九年（721）中进士，调太乐丞。后谪济州司仓参军。张九龄执政，擢为右拾遗。开元二十五年（737）秋，入河西节度使崔希逸幕。天宝初，入为左补阙。拜吏部郎中，迁给事中。安史叛军陷京城，被迫受伪职。复京后论罪，因曾作诗抒写对唐室的忠心，仅降为太子中允。迁太子庶子、中书舍人，复拜给事中，转尚书右丞，卒。为人多才艺，诗、书、画、乐无不精通。在诗歌上，与孟浩然合称“王孟”，为盛唐田园诗派的代表。　　[2] 角弓：以兽角装饰的硬弓。　　[3] 渭城：本秦都咸阳，汉高祖元年（前 206）改名新城，后废。武帝元鼎三年（前 114）复置，改名渭城。东汉并入

长安县。治所在今陕西咸阳东北二十里。 [4]新丰：汉高祖七年（前200）置，唐废。治所在今陕西省临潼县西北。本秦骊邑。刘邦定都关中，其父居长安宫中，思乡心切，郁郁不乐。刘邦于是仿照故乡丰邑的街里房舍格局，改筑骊邑，并迁来丰地的老百姓，改称“新丰”。 [5]细柳营：在今咸阳西南，汉文帝年间，匈奴入侵，令名将周亚夫驻军于此，故称细柳营。

赏析

王维有“诗佛”之称，其早年的诗却颇有凌厉之气，绝非“行到水穷处，坐看云起时”式的平和悠闲，而是充满了积极乐观的精神。这首《观猎》，名为“观”，实亦涌动着诗人胸中的一腔抱负。

开头未写时间地点，却从听觉角度写出了寒风中拉动角弓时的响亮，其次才点出此行是打猎，反衬出了将军的英勇。颔联的“草枯”、“雪尽”说明时间是在冬天，此联对仗工稳，历来受人激赏。它用极精练之笔点出了时令的特征、狩猎的快意。雄鹰可以看得更准，直扑猎物；骏马可以纵横驰骋，无所妨碍。一切都是那么心旷神怡，舒畅快意。颈联描述猎毕回营的场景，“新丰”、“细柳”均是汉代地名，“用汉言唐”本是唐代诗人的惯用笔法，这里在不经意间嵌入两个典故，是为了突出射猎将军之英武，当可与汉代名将周亚夫媲美。这是盛唐时期军人意气风发的表现。“忽过”、“还（xuán）归”说明了战马的迅捷，风驰电掣之感跃然纸上，平添了几分灵动与洒脱。末尾，诗人仍不忘悠然地回首一望，远处，金色的夕阳映红了整个西边的天空，壮观无垠。这是盛唐诗人的大气与优雅，亦是王维惯用的手法。其另外一首名作《送元二使安西》结尾写道：“劝君更尽一杯酒，西出阳关无故人。”同样是向远处悠悠地一望，展现了诗人特有的细腻与多情。这是摩诘诗特有的

结尾，意味无穷，正是所谓的“含不尽之情见于言外”，悠闲淡然，神韵自来。

此诗从打猎的开始，写到打猎的过程，接着回归营寨，最后又补入回看狩猎语，全诗一气呵成，无一语滞涩，流利自然，气势开阔。

文史链接

王维露才惊众

王维年少时，已显出其出众才华。由于在诗歌和音乐方面的独特造诣，他深得岐王李隆范的赏识。开元九年（721）应进士试，岐王让他带一些做好的诗并自度一首琵琶曲，去拜见九公主。是日，王维与诸乐人一齐演奏，公主发现其技艺不凡，令其独奏，则声调哀切，满座动容。问是何曲，答云：“《郁轮袍》。”岐王趁机说：“此生不止精通音律，诗歌也堪称一绝。”令王维呈上所作诗。公主读毕，惊讶地说：“这都是我经常读的，以为是古人所作，没想到居然是你作的。”遂向贵戚们大力推荐，王维因此得中高第。

思考讨论

晚年的王维无意仕进，隐居蓝田别墅，穷研佛理。其《酬张少府》诗云：“晚年惟好静，万事不关心。自顾无长策，空知返旧林。松风吹解带，山月照弹琴。君问穷通理，渔歌入浦深。”试比较其诗风的变化。

出塞作

王　维

居延城外猎天骄[1]，
白草连天野火烧[2]。
暮云空碛时驱马[3]，
秋日平原好射雕。
护羌校尉朝乘障[4]，
破虏将军夜渡辽[5]。
玉靶角弓珠勒马[6]，
汉家将赐霍嫖姚[7]。

注释

[1]居延:地名。在今内蒙古额济纳旗北境，汉时尝筑居延城。天骄：汉时匈奴用以自称。后亦泛称强盛的边地少数民族或其首领。　[2]白草：西域所产牧草。干熟时呈白色，故名。[3]碛（qì）：沙漠。　[4]护羌（qiāng）校尉：武官名，汉武帝时置,意谓“持节以护西羌”。乘障:登上塞外险要之地。　[5]破虏将军:东汉杂号将军之一，魏时为第五品。渡辽:指渡过辽水。此处是借用，非实指。　[6]玉靶：镶玉的剑柄。靶，旧读 bà，剑柄。珠勒：珠饰的马络头。　[7]霍嫖（piāo）姚：谓西汉名将霍去病。因其受封为嫖姚校尉，故名。嫖姚：武将的一种名称。

赏析

盛唐诗歌的特征之一是壮美，主要表现为一种积极健康、乐观向上的情绪在诗歌中的回旋。青年时的王维亦不例外，除了上一首《观猎》诗外，这首写于开元二十五年（737）的《出塞作》，也展现了其早年慷慨昂扬、意气风发的一面。当时河西节度副使崔希逸大败吐蕃，王维以监察御史的身份奉使出塞宣慰。该诗既是赞扬崔希逸，同时也表现了唐军的威武。

首句点出居延城外的广阔无垠，正好从事“猎天骄”这种勇猛活动。“天骄”本是匈奴首领，这里用一“猎”字，体现了对敌人的轻蔑。将士们引燃了广袤的白草，浓烟飘飘，烈焰腾腾，更显得壮观。而在这傍晚的沙漠上驰骋，在广阔的原野中射猎，正是展现将士们身手的好时机。颔联实际上是暗指边地有警，却不明说，而是以打猎来比喻战争的轻松，以此反衬唐军将士们的豪迈。颈联是互文的手法，是说护羌校尉和破虏将军早上登上险塞，伺察敌情；到晚上的时候唐军将士们已经渡过了辽河，说明行军的神速。由此而知，前面的打猎只是衬托将士们的英武，真正展示的是大唐王朝军事的强大及必胜的信心。这是与《观猎》一诗的不同之处。尾联是夸赞将军们取得胜利后的情形，将被皇帝赐予镶玉的宝剑、兽角装饰的硬弓、用珍珠镶饰络头的骏马，以此来写得胜后将军们的风光无限。同时也歌颂了将军们的杀敌立功，正如西汉抗击匈奴的霍去病一样，保卫了边疆，宣扬了朝廷军队的声威。

全诗没有正面渲染战争场面，而是通过边塞射猎场面的描写，写出了盛唐将士们的英勇豪迈，堪称边塞诗的绝唱。

文史链接

唐代的河西节度使

河西节度使在唐代是重要的官职，它所管辖的凉州处于河西走廊上的咽喉部位，是唐代中原地区与西域各国联系和交往的必经之路，也是切断唐王朝两大边患——吐蕃和突厥联系的最重要的闸门。“节度使”的职官名号也肇始于河西。

唐代中央政府对河西节度使（惯例皆兼任凉州都督）的选任是非常慎重的，出任此职的一般都是当代名将。有史可考的河西节度使共二十六人，除遥领其职的李林甫外，其余皆为骁勇善战之人。崔希逸亦不例外，他在开元年间担任凉州都督、河西节度使，执掌一方兵权，多次击败吐蕃的侵扰，在保护边疆的战争中立下赫赫战功。

思考讨论

王维出使河西之时，还有一首更出名的作品《使至塞上》，诗云：“单车欲问边，属国过居延。征蓬出汉塞，归雁入胡天。大漠孤烟直，长河落日圆。萧关逢候骑，都护在燕然。”分析其与《出塞作》感情表达的不同之处。

早寒江上有怀

孟浩然[1]

木落雁南度，北风江上寒。
我家襄水曲[2]，遥隔楚云端[3]。
乡泪客中尽，孤帆天际看。
迷津欲有问[4]，平海夕漫漫[5]。

注释

[1]孟浩然（689—740）：襄阳（今湖北襄阳）人，早年隐居鹿门山，开元间游长安，应进士试不第。漫游江、淮、吴、越等地，后归襄阳。孟浩然与王维合称“王孟”，同为盛唐山水田园诗派的代表。 [2]襄水曲：襄水的转弯处。孟浩然家乡襄阳就在这里。襄水：汉水的一段。 [3]楚云端：襄阳古为楚地，地势高峻，又位于长江上游，从长江下游望去，如在云端。 [4]迷津欲有问：

《论语·微子》载:“长沮、桀溺耦而耕。孔子过之，使子路问津焉。”这里是问路的意思。迷津，迷失路途。　　[5] 平海：指长江下游江面宽广平坦，如海一般。

赏析

《早寒江上有怀》是孟浩然的一首名作。从诗意看，当作于他入长安求仕不利，在长江下游一带漫游无依的时候。

起句“木落雁南度”正与题目紧切。树叶黄落，正是因为“早寒”；也是因为“早寒”，所以大雁开始飞往南方。那北风呼啸，使得小舟上的旅人更觉寒冷。起两句营造了一种孤寂、冷清的景象，却清雅而不落俗套。那么，诗人的家乡又在何处呢？就在那襄水转弯处，楚云尽头边，是根本无法眺望得到的。诗人为生活所迫，多年作客在外，思乡之泪也流得差不多了，却还是只能乘着一叶小舟，在天边游荡。一个“尽”字道出了诗人的思乡之痛，写得无比辛酸。诗歌结尾还是感叹自己现在的落拓失意，遥望江上，前路茫茫，真是不知所往。于是只能对着那海潮漫漫，独自神伤。末句恰到好处地表现了诗人多年漂泊他乡、无所归依的失落惆怅。

全诗表现了诗人前途渺茫、无所归依的悲凉及对家乡的思念，写得含蓄婉转，哀而不伤。

文史链接

孟浩然被放归

孟浩然四十岁那年来到长安应进士举，没有考中。但他很有诗才，受到当时很多官员的赏识，著名诗人王维就是其中的一个。

有一次，王维将他悄悄带进官署里，谈论得正高兴，突然玄

宗皇帝来视察。孟浩然惊避床下，王维不敢欺骗皇帝，说出实情，玄宗命孟浩然出见，要他读一首自己写的诗。孟浩然读了一首《岁暮归南山》，其中有“不才明主弃”（因为没有才能，所以被皇帝弃置不用）一句，玄宗不高兴，说道：“你根本就没有求过我，怎么反倒说是我没有重用你呢？”于是仍将其布衣放归。

思考讨论

孟浩然另一首著名的《宿建德江》诗写道：“移舟泊烟渚，日暮客愁新。野旷天低树，江清月近人。”结合《早寒江上有怀》，分析诗人的思乡之情。

夏日南亭怀辛大[1]

孟浩然

山光忽西落[2]，池月渐东上。
散发乘夕凉[3]，开轩卧闲敞[4]。
荷风送香气，竹露滴清响。
欲取鸣琴弹，恨无知音赏。
感此怀故人，中宵劳梦想[5]。

注释

[1] 辛大：即辛谔（è），作者友人，隐居于西山。 [2] 山光：

太阳落山后的余晖。　[3]散发：古代男子留发，平时束于头顶，休息的时候则解散下来。　[4]开轩(xuān)：把窗户打开。闲敞：清静宽敞。　[5]中宵：夜半时分。

赏析

孟浩然与王维都是盛唐田园诗派的代表，但较之王维，孟浩然的诗更使人感到清新自然。这一方面与二人的地位有关，王维官至尚书右丞，孟浩然却布衣一生。另一方面，王维潜心佛学，有“诗佛”之称；孟浩然终其一生，始终奉行儒家的入世思想，尽管最后没能如愿，但用世之心始终未减。

全诗是炎夏乘凉之作。起句就为读者营造出一个优美、安详的氛围。诗人写太阳落山、余晖消退，用一个“忽”字；写月亮升起、皓月当空，用一个“渐”字，把时间的流逝写得极为生动传神。这个时候诗人将紧束的头发松散开，无拘无束地躺在窗下乘凉，尽情享受着天地的恩赐。池塘里，荷花的清香随风飘来，沁人心脾；竹叶的露水滴到水里，清响悦人。幽雅静谧之境，似非人间，却又是诗人于万籁俱寂时的真实感受。这两句通过嗅觉、听觉将夏夜独自乘凉时的感受写得细腻传神，犹如仙境。面对如此的美景，诗人禁不住想要取过琴来弹奏一曲。但谁人与“我”共赏呢？诗人只能发出“恨无知音赏”的感慨。因此诗人越来越思念远方的友人，夜晚睡觉，诗人又想起友人，不禁又梦到了友人。后两句点题，写出了诗人与辛大互相赏识、彼此互为知己的情意。

这首《夏日南亭怀辛大》是孟浩然的代表作，尤其“荷风送香气，竹露滴清响”两句，成为脍炙人口的名句，展现了盛唐诗自然天成的特点。

文史链接

孟浩然与辛谔

辛谔是孟浩然的同乡好友，也是一位高洁的隐士。孟浩然隐居襄阳时构筑南亭，辛谔经常来南亭纳凉饮酒，畅谈诗文，甚是相得。

现存的《孟浩然诗集》中，提到“辛大”、“辛谔”的诗有四五首。其中有一首这样写道：“南国辛居士，言归旧竹林。未逢调鼎用，徒有济川心。余亦忘机者，田园在汉阴。因君故乡去，还寄式微吟。”（《都下送辛大之鄂》）这首诗描述了辛大有才不能施展，只好隐居，宁愿过一种淡泊闲适的生活，并自得其乐。这其实也是孟浩然最终的选择，性格相近是使二人成为莫逆之交、一生交好的原因。

思考讨论

除了赞扬辛大是自己的知己，孟浩然还写过一首《留别王侍御维》：“寂寂竟何待，朝朝空自归。欲寻芳草去，惜与故人违。当路谁相假，知音世所稀。只应守寂寞，还掩故园扉。”其中“知音世所稀”一句表达了对王维的感激。结合《夏日南亭怀辛大》，体味诗人对友情的重视。

陪侍郎叔游洞庭醉后三首·其三[1]

李　白[2]

划却君山好[3]，平铺湘水流[4]。
巴陵无限酒[5]，醉杀洞庭秋[6]。

注释

[1]侍郎叔：指刑部侍郎李晔。　[2]李白（701—762）：字太白，号青莲居士。祖籍陇西成纪（今甘肃秦安）。出生在碎叶城（今吉尔吉斯斯坦托克马克）。少时居绵州彰明县青莲乡（今四川江油），读书吟诗，遍观百家，好神仙，任侠仗义。天宝年间应诏入京，供奉翰林，后因权贵谗毁，赐金放还。漫游齐、鲁、梁、宋各地。安史乱起，入永王李璘幕。璘兵败，李白被捕下狱，流夜郎，中途遇赦。上元二年（675）后，依族叔当涂令李阳冰，寻卒。白长于歌诗，嗜酒，人称“谪仙人”。与杜甫并称“李杜”。他是最能代表盛唐之音的诗人。　[3]刬（chǎn）却：即铲去。君山：又名洞庭山，在洞庭湖之中。　[4]湘水：即湘江，湖南最大的河流。因湘水流入洞庭，故这里的湘水实指洞庭水。　[5]巴陵：指岳阳，在湖南省。　[6]醉杀：沉醉的样子。“杀”是副词，用在谓语后，表示程度之深。

赏析

李白号称“诗仙”，这“仙气”很大程度上是来源于其诗中奇幻恣肆、无拘无束的想象。这首诗虽短，却可表现李白诗的这一特征。

洞庭湖水广阔无垠，烟波浩渺，中间立着一座小岛，郁郁葱葱，这就是君山，在众人看来，山与水互相映衬，使得洞庭湖生色不少。但在诗人看来，那君山却是阻碍了洞庭湖水的流动。故诗人突发奇想，如能把君山铲去，让湘水平平流淌，畅通无阻，岂不是美事？这其实是诗人自己不喜约束、热爱自由的个性的一种表现。仅将君山铲去，已是放纵之至。但诗人接着看到洞庭两岸的红叶挂满树枝，于是诗人又想到了这洞庭湖水大概都是酒吧，这么多的酒，使得那洞庭周围的树木都醉了，绯红可爱。这是大手笔，也是天才的想象，非李白不能。

全诗大气开阔，设想奇特，既有童心又有仙气，是李白诗的典型特征，虽仅二十字，却令人回味无穷。

文史链接

洞庭湖与君山

洞庭湖是我国第二大淡水湖（一说现居第三位），位于湖南省北部，面积达2820平方千米（1998年），东北流入长江。湖水浩瀚迂回，渔帆点点，芦叶青青，水天一色，鸥鹭翔飞。四时之景不同，一日之中变化万千。古人描述的“潇湘八景”中的“洞庭秋月”、“远浦归帆”、“渔村夕照”、“江天暮雪”等，至今都是洞庭湖的写照。

洞庭湖之中，矗立着一座小岛，这就是洞庭山，又名君山。关于君山的来历，有这样一个传说：君山本是昆仑山上的一块巨石，后来被海风吹落到了洞庭湖中，于是就有了君山。

关于“君山”的得名，据说是由于上古时期，舜帝南巡时死在苍梧这个地方，他的两位妃子娥皇、女英追寻舜帝，赶到洞庭山的时候却听说丈夫已死，二妃忧怨而死，后来被葬在了洞庭山。因为二妃是君妃，故名山曰“君山”。

思考讨论

洞庭湖和君山是著名的旅游胜地，这里诞生了不少优秀的诗歌。中唐诗人刘禹锡《望洞庭》诗写道：“湖光秋月两相和，潭面无风镜未磨。遥望洞庭山水翠，白银盘里一青螺。”仔细阅读这首诗，比较它与李白诗在比喻方面有何不同。

劳劳亭[1]

李　白

天下伤心处，劳劳送客亭。
春风知别苦，不遣柳条青[2]。

注释

[1]劳劳亭：在今江苏南京西南，古时送别之所。三国吴时置亭，在劳劳山上。　　[2]遣：使，让。

赏析

李白之诗是天才之诗，特点是率性随意，但有真性情在其中。这首《劳劳亭》可为代表之一。诗人随手写去，不着痕迹，却显得灵动、深婉，耐人寻味。

全诗起笔突兀直入，说那天下的伤心处，在“我”看来，可能要数这座劳劳亭了。劳劳，是不舍、留恋之意，诗人将“劳劳”二字很好地嵌入到诗句中，不仅点出了亭的名称，而且表现了分别时的不舍与忧伤。结尾宕开一笔，写得更妙，将无情的春风写得有情缱绻，趣味横生。这春风仿佛也知道人间别离的痛苦，因此不让那柳树早点变绿，以防离人伤心难过。这真是神来之笔。

这首短诗依旧体现了李白式的率性大气、才气横溢，想象出自天真，趣味无穷。

文史链接

折柳送别的传统

古代通讯不便，亲戚朋友一旦远行，再会不知何时，因此非常重视分别。一般都要送到城外，有“十里长亭相送”之说，同时还有一个重要的习俗:送行者要折一支柳条给远行者,这就是“折柳相送”。

这是因为“柳”与“留”同音，折柳送行，有不舍之意，显示了送行者对将要远行的亲友依依不舍的深厚感情。同时，也蕴涵着一种对离人的美好祝愿，希望他们离开家乡到新的地方后，能很快地生根发芽，适应当地生活，如同柳枝随处可活。《诗经·小雅 · 采薇》写道 :“昔我往矣，杨柳依依 ; 今我来思，雨雪霏霏。”这是最早记载折柳送行的诗歌。

思考讨论

唐代著名诗人王之涣有一首《送别》诗写道：“杨柳东风树，青青夹御河。近来攀折苦，应为别离多。”结合该诗，体味李白《劳劳亭》诗的妙处。

黄鹤楼闻笛[1]

李　白

一为迁客去长沙[2]，西望长安不见家。
黄鹤楼中吹玉笛，江城五月落梅花[3]。

注释

[1]黄鹤楼：在今湖北武汉蛇山上。　[2]迁客：被贬谪到外地的官员。去长沙：往长沙去。这里用西汉贾谊被贬为长沙王太傅的典故，比喻自己遭流放。　[3]江城：即江夏（今湖北武汉），因位于长江、汉水之滨，故称“江城”。落梅花：即《梅花落》，笛曲名。

赏析

这首诗是唐肃宗乾元元年（758）李白被流放夜郎，途经黄鹤楼时所作。永王李璘曾经与肃宗争夺皇位，后被肃宗处死，而李白因为曾经参加永王李璘的幕府，因此受到牵连，遭到流放。

起句仍是太白式的率性和挥洒，用西汉贾谊因才受忌，被贬到长沙的典故，不露痕迹地点出了诗人无辜被流放的无奈与愤慨。诗人接着写自己登上黄鹤楼，西望长安，一片渺茫，天地悬隔，家在何处？这仍是沉痛之语，表达了诗人对故国的眷恋与被流放的凄凉的心境。这时，黄鹤楼中传来了清亮的玉笛声，吹着一枝《梅花落》的曲子。诗人听到笛声，不禁更加思念起家乡。《梅花落》本是曲名，但诗人反过来写成“落梅花”，就使得这首曲名有了两层含义：一层是本义，指曲子名；另一层是说乐曲之美如同梅花纷纷落下。当然，五月是不会有梅花的，这只不过是诗人的想象之词，却营造了极其优美的意境，有力地表现了去国怀乡的愁绪。

全诗写凄切之情、悲凉之意，却含蓄婉转，无限情意见于言外。

文史链接

贾谊遭贬

贾谊（前200—前168），洛阳人，西汉著名的文学家、政论家。他通诸子百家之书，很早就成名。二十多岁就被汉文帝召入宫廷，任博士（皇帝的顾问）一职。每次面对皇帝的询问，他总是对答如流，滔滔不绝。由于才华出众，得到文帝的赏识，不到一年，贾谊就被提拔为太中大夫。与此同时，他也遭到了群臣的忌恨，他们纷纷在皇帝面前进献谗言，于是贾谊被贬为长沙王太傅。

贾谊满腹才华无法施展，受谗被贬，忧伤无比。他在南行至湘江时，写了一篇《吊屈原赋》，借屈原的不幸遭遇，表达了古今才士多不得所用的悲剧。到了长沙后的第三年，一只猫头鹰飞进了贾谊的住宅，他又作了一篇《鹏（fú）鸟赋》。鹏鸟，就是猫头鹰，它被认为是一种不吉祥的鸟类。贾谊认为，如今鹏鸟进宅，可能是自己活不长了。贾谊在这篇文章中，对人世沧桑作了一番感叹，表达了抑郁的心情的异同。

思考讨论

李白行到白帝城的时候，得到皇帝赦免，惊喜交加，创作了脍炙人口的《早发白帝城》：“朝辞白帝彩云间，千里江陵一日还。两岸猿声啼不住，轻舟已过万重山。”试比较其与《黄鹤楼闻笛》一诗的思想感情的异同。

江上吟

李 白

木兰之枻沙棠舟[1]，玉箫金管坐两头[2]。
美酒樽中置千斛[3]，载妓随波任去流[4]。
仙人有待乘黄鹤[5]，海客无心随白鸥[6]。
屈平词赋悬日月[7]，楚王台榭空山丘[8]。
兴酣落笔摇五岳[9]，诗成笑傲凌沧洲[10]。
功名富贵若长在，汉水亦应西北流[11]。

注释

[1]木兰：即辛夷，香木名。枻（yì）：船桨。沙棠：木名。木材可造船，果实可食。　[2]玉箫金管：用金玉装饰的箫和笛。此处指吹箫笛等乐器的歌妓。　[3]千斛（hú）：古时十斗为一斛。千斛，形容船中置酒极多。　[4]妓：指女歌舞艺人。

[5]黄鹤：用黄鹤楼的神话传说。传说仙人子安曾驾黄鹤过此，因而得名。一说三国时期费祎乘黄鹤登仙，曾在此休息，故此得名。　[6]白鸥：《列子·黄帝篇》载，海边上有个人喜欢鸥鸟，每天傍晚至海边，鸥鸟都聚集到他身边，与其嬉戏。他的父亲听说后，叫他捉来几只玩耍。第二天，鸥鸟远远飞翔，再不到他跟前来了。这里是反用其意，意谓甘愿做一个没有私心杂念的"海客"。　[7]屈平：即战国时伟大的爱国诗人屈原，作有《离骚》。　[8]楚王台榭（xiè）：楚灵王有章华台，楚庄王有钓台，均以豪奢著名。台榭，泛指亭台楼阁。　[9]兴酣：诗兴浓烈之际。　[10]凌：凌驾，高出。　[11]汉水：发源于陕西省宁强县，东南流经湖北襄阳，至汉口汇入长江。

赏析

"白也诗无敌，飘然思不群"是杜甫称赞李白的一句话，此诗可为此语的最好注脚。开篇写诗人乘坐在木兰作桨、沙棠为舟的船上，旁边伴有乐人吹箫奏乐，这是何等的风流儒雅！除此之外，还有美酒千斛相随，歌儿舞女伴立身旁。诗酒风流，这是千古文人最理想的境界，当然这里未必是实写，可能只是诗人的想象之词。接着，诗人故作豁达之语，说仙人可以乘黄鹤，来去自如；作为凡人的我，亦可以"天地与我并生，万物与我为一"，心无任何挂碍。那海上的群鸥也不以我为疑，在我的身边来去自如。由此可以想见诗人的洒脱飘逸。

后三联是典型的太白风格，其对古人的推崇也出之于“天真”语。屈平的词赋如日月之辉，千古空明。而那叱咤一时的楚王，给后人留下何物？只余空台荒丘而已。而“我”呢，兴之所至，能作出泣鬼神之文；谈笑间，能写出“凌沧洲”之诗，如此足矣。至此，“诗仙”终于在茫茫的无助失落中，找到了一丝精神的慰藉。于是感到一种释然，一种超脱。结语云，“功名富贵”真是浮云矣，皆是不可长久的东西，如能长久，除非汉水改向西流。说穿了，诗人还是看到富贵功名的虚无而自求解脱。何以消忧呢？就是自己那些言辞绝妙、气格高华的诗篇，它们是可以万古长存的。

全诗风格豪放，语言纵横跌宕，可谓是李白诗飘逸洒脱的代表作之一。

文史链接

李白的浪漫不羁

天宝元年（742），由于玉真公主和贺知章的交口称赞，加上唐玄宗又亲自看了李白的诗赋，对其十分仰慕，便召李白进宫。李白进宫朝见那天，玄宗走下来接见，并亲手给他调制食物。当玄宗问到一些当世事务，李白凭半生饱学及长期对社会的观察，胸有成竹，对答如流。玄宗大为赞赏，随即令李白供奉翰林，职务是草拟文告，陪侍皇帝左右。玄宗每有宴请或郊游，必命李白侍从，利用他敏捷的诗才，赋诗纪实。李白受到玄宗如此的宠信，同僚不胜艳羡，但也有人因此而产生了忌恨之心。

在长安时，李白除了供奉翰林、陪侍君王之外，也经常在长安市上行走。李白放浪形骸的行为又被翰林学士张垍所诽谤，两人之间产生了一些嫌隙。朝政的腐败、同僚的诋毁，使李白不胜感慨。他写了一首《翰林读书言怀呈集贤诸学士》，表示有意归山。谁料就在此时，朝廷有旨赐金放还，于是他便离开长安，开始了游历生活，并写下了大量的山水诗。

思考讨论

三国魏文帝曹丕《典论》一文写道："盖文章，经国之大业，不朽之盛事。年寿有时而尽，荣乐止乎其身，二者必至之常期，未若文章之无穷。是以古之作者，寄身于翰墨，见意于篇籍，不假良史之辞，不托飞驰之势，而声名自传于后。"根据这一段话，理解李白诗歌的不朽价值。

沙丘城下寄杜甫[1]

李　白

我来竟何事？高卧沙丘城。
城边有古树，日夕连秋声。
鲁酒不可醉[2]，齐歌空复情[3]。
思君若汶水[4]，浩荡寄南征。

注释

[1] 沙丘城：在今山东肥城市汶阳镇东、大汶河南下支流洸

河（今名洸府河）分水口对岸。　[2] 鲁酒：鲁国出产的酒，味淡薄。后作为薄酒、淡酒的代称。　[3] 齐歌：战国时宁戚穷困不遇，敲牛角而歌，感动了齐桓公，后被桓公任命为大夫。[4] 汶（wèn）水：发源于泰莱山区，汇泰山山脉、蒙山支脉诸水，自东向西流经莱芜、新泰、泰安等地，又经东平湖流入黄河。

赏析

李白诗一个明显特征就是“大气”，即使是这首怀人诗亦丝毫没有其他诗人的儿女情长、泪洒衣襟，而是发以豪语，感情却真挚动人。

开篇诗人问自己：我来到这东鲁的沙丘城所为何事？这实属无理之理，实为诗人对自己飘荡四海、无所依傍的自嘲。“高卧沙丘城”将诗仙的豪迈不羁写了出来。《晋书·隐逸传·陶潜》云：“尝言夏月虚闲，高卧北窗之下，清风飒至，自谓羲皇上人。”于是，从陶渊明开始，“高卧”一词成了高人隐士们的常用语，一显其不合流俗、洁身自好的情趣。颔联写出了沙丘城周围的环境，用笔亦大气，云“古树”，自然是枝繁叶茂，挺拔苍翠。从早到晚，那高大繁茂的古木在秋风中飒飒作声，令游子更起羁旅之思。寂寞之余，何可消忧？唯有鲁酒。鲁酒味薄，欲求一醉而不可得；齐歌虽美，妙音扬扬却无人赏。言外之意即是知己之友不在近前，其落寞可知矣。诗人卒章显志，表达了对杜甫的怀念，却出之以李白式的大气与豪迈：“我”对你的思念如那汶水滔滔南去，何有穷已之时？此处化用徐幹《室思》诗中的“思君如流水，何有穷已时”之语，没有六朝文人的纤弱，而是豪气十足，又出之以真诚，表达了对友人的深切思念。

全诗一气呵成，飘逸自然，却又淡而有味，可谓是天才之诗。

文史链接

宁戚悲歌惊桓公

宁戚是春秋时齐国人，他满腹才华，却由于出身微贱而无法施展。他很想去拜见齐桓公，却由于贫穷无因得见。于是，他就通过替商人赶车的方式，来到了齐国国都临淄。到了晚上，他露宿在城门外。

这天晚上，桓公正好到郊外迎接客人，夜里打开了城门，让路上的货车避开。宁戚正好在车下喂牛，望见了桓公，心内一阵悲伤，于是拍着牛角唱起了歌，歌声婉转悠扬，音调悲凉。桓公听到后，对左右侍从说："这个人不是一般的人，可以大用。"于是桓公邀请宁戚上了另一辆车。回到宫里后，桓公赐给宁戚衣帽，让他穿戴整齐。接着宁戚向桓公谈论起治理齐国的方法。第二天，他再次进见桓公，又讲起了齐国如何称霸天下的谋略。桓公大悦，任命他为齐国的大夫。宁戚后来做到齐国的大司田（负责农业），对齐国称霸诸侯起到了积极的作用。

思考讨论

东汉诗人徐幹的《室思·其三》写道："自君之出矣，明镜暗不治。思君如流水，何有穷已时。"这是最早用流水来比喻思念的诗。结合李白的《沙丘城下寄杜甫》，体会用水比喻相思的妙处。

关山月

李　白

明月出天山[1]，苍茫云海间[2]。
长风几万里，吹度玉门关[3]。
汉下白登道[4]，胡窥青海湾[5]。
由来征战地，不见有人还。
戍客望边邑[6]，思归多苦颜。
高楼当此夜，叹息未应闲[7]。

注释

[1]天山：在今新疆境内，山上积雪终年不化。　[2]云海：

指云气弥漫，茫茫无际，如海一般。 [3]玉门关：在今甘肃玉门县东，是西域通向内地的唯一关卡。 [4]下：指出兵。白登：山名，在今山西大同东。汉高祖伐匈奴，曾被围困在白登山上。 [5]青海：湖名，在今青海省西宁市西。唐时，多次在青海一带与吐蕃交战。 [6]戍客：戍守边疆的战士。边邑：边城，所戍守之地。 [7]未应闲：应该没有停止。闲，停止。

赏析

唐代诗人的从军理想，抑或思潮，始于初唐，到盛唐达到高潮，诗人们不甘于在笔砚间终老一生，他们渴求从军边塞、建功立业。以高适、岑参为代表的盛唐诗人将这种思潮推向了一个顶峰，并创作了辉煌的边塞诗。李白这首诗不是写从军的艰辛、边塞的壮观，而是用《关山月》这个乐府旧题，来表现战争给人民带来的痛苦。

前面四句，是太白惯用之笔法，开阔恢弘，气象博大。那明月从积雪皑皑的天山间升起，云、雪、月光融合在一起，苍茫一片。长风猎猎，像是在为健儿们送行，把他们送到了玉门关外。而那玉门孤城，是绝域与关内的分界，是通往西域的门户。诗人思接千年，进一步联想到了历史上中原王朝与边疆少数民族战争不断：在汉代，与匈奴有“白登之战”；到了唐代，又与吐蕃政权连年交战。战争的阴云多年笼罩在青海一带。古往今来，兵连祸结，鲜有宁日。故诗人发出了“由来征战地，不见有人还”的感慨。战争的结果是使无辜百姓流离，普通家庭破碎。征戍的士兵年年望归而不可得，愁苦之情自不待言。家中的妻子此时当也未眠，思念着出征的丈夫，无奈之间，只能发出一声声叹息。这叹息充满了对战争的厌倦，对家人的思恋。

全诗大气磅礴，写境奇幻，虽是写哀情，却挥洒自如、飘逸清空，这正是太白诗的妙处。

文史链接

天宝年间的对外战争

唐玄宗开元（713—741）、天宝（742—756）年间，尽管是唐朝国力最为鼎盛的时期，但与少数民族政权的战争还是不断。在这些战争中，双方互有胜负，凭借国势的强大，唐朝在战争上处于领先的一方。但随着天宝年间唐玄宗对外野心的增长，唐朝也吃了不少败仗。

典型的是天宝八年（749）与吐蕃的石堡城战役，唐军死伤数万人。天宝十年（751）进攻南诏，又战死六万人。为此，朝廷不得不向全国征兵，以补充兵力。杜甫著名的《兵车行》一诗，就反映了征兵给老百姓带来的痛苦，诗歌结尾说："信知生男恶，反是生女好。生女犹得嫁比邻，生男埋没随百草。"表现了唐玄宗后期军队屡打败仗，征人九死一生的惨状。

思考讨论

盛唐王翰的名作《凉州曲》写道："葡萄美酒夜光杯，欲饮琵琶马上催。醉卧沙场君莫笑，古来征战几人回。"阅读并体会其与《关山月》的异同。

从军行·其一

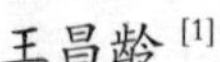

王昌龄[1]

烽火城西百尺楼[2]，黄昏独坐海风秋[3]。
更吹羌笛《关山月》[4]，无那金闺万里愁[5]。

注释

[1]王昌龄（698—756）：字少伯，京兆万年（今属陕西）人。开元十五年（727）登进士第，授秘书省校书郎。天宝中，贬龙标尉。安史乱起，北归，为刺史闾丘晓所杀。他擅长七绝，有“诗家天子”之称。　[2]百尺楼：古代士兵戍守瞭望的城楼。　[3]海：指青海湖，在今青海西宁西，古名鲜水，又名仙海，北魏时，始名青海。唐时，哥舒翰筑城于其地，置神威军戍守。　[4]《关山月》：古乐曲名，以征人、思妇的离别为主题。　[5]无那（nuò）：无奈。金闺：女子的闺房。

赏析

出征的军人，身在万里之外，生死难料，黄昏迟暮的时候，总是会想起家中的亲人。这首诗就是写出了出征军人对妻子的怀念之情。

开始两句写得雄浑壮阔，点出了边塞特有的景象：傍晚时分，烽火台西边的戍楼上，一个征戍的军人静静坐着，感受着从青海湖上刮来的阵阵秋风，这一切使得他不禁黯然神伤。后两句一转，写得缠绵悱恻。这时他拿起了羌笛，吹起了《关山月》的曲子。这是一首反映离别的曲子。吹着吹着，他想起了万里之外的妻子，她大概和诗人一样，一个人默默地思念、哀叹，却不知如何消忧。这真是诗家妙笔，不写自己如何思念亲人，却反过来写亲人的惆怅无眠，可谓是深于情者之语。

全诗情深意壮，风格苍凉，气格高古，悲壮中不失缠绵，是王昌龄七绝诗的典型特征。

文史链接

从军行

《从军行》是乐府古题，最早见于《古今乐录》，以反映军旅生活的艰辛、征人与思妇的悲愁为主。现存最早的一首《从军行》为三国魏时的音乐家左延年所作，其辞曰："苦哉边地人，一岁三从军。三子到敦煌，二子诣陇西。五子远斗去，五妇皆怀身。"表达了边地人民对战争的厌恶。

唐代国力强盛，军事强大，加上不少诗人有从军边塞、建功立业的理想，故边塞诗盛行起来，《从军行》这一古题被反复用来抒写，如杨炯、李白、王昌龄等著名诗人都曾经借用这一题目来反映当时的战争情况。其中，王昌龄所作最多，大概有十首之多，从不同角度反映了盛唐的边塞战事。

思考讨论

王昌龄有一首著名的《出塞》诗："秦时明月汉时关，万里长征人未还。但使龙城飞将在，不教胡马度阴山。"结合《从军行·其一》，体会诗中表达的对战争的态度。

从军行·其四

王昌龄

青海长云暗雪山[1]，孤城遥望玉门关[2]。
黄沙百战穿金甲[3]，不破楼兰终不还[4]。

注释

[1]雪山：祁连山的别称，在今青海省东北部与甘肃省西部边境，由多条西北—东南走向的平行山脉和宽谷组成，是古代游牧民族经常活动的地方。　[2]玉门关：汉置，在今甘肃玉门县东，是西域通向内地的唯一关卡。　[3]金甲：古代将士穿的盔甲，一般用铁或铜等金属打制。　[4]楼兰：汉朝时西域国名。

赏析

这是王昌龄《从军行》的第四首，也是最具激昂慷慨之气、极富崇高悲壮之美的一首。全诗没有丝毫纤弱之气，展现了军人誓死报国的决心。

开头两句写得高远辽阔，画面中仿佛出现了一位将军，他仰头远望，只见从青海吹来的云雾蔓延无际，使得祁连山仿佛也昏暗下来。再回首一望，大漠无边，只有一座孤零零的玉门关在远处耸立着，那是通向中原的唯一关口，玉门关内就是日思夜想的家乡。然而，现在说回去还为时尚早。饱经征战的将士们历经千辛万苦，那塞外的风沙似乎要把这黄金甲穿透了，但将士们依旧坚韧顽强地戍守在边疆，誓将敌人消灭尽，然后才肯回到家乡。

全诗气势磅礴，风格苍凉悲壮，很好地表现了唐代军人视死如归、杀敌立功的决心和必胜的信念。同时，全诗也体现了盛唐诗奋发、高扬的精神。

文史链接

楼兰古国

楼兰是西域古国名，曾经是古代“丝绸之路”的必经之地，现位于新疆巴音郭楞蒙古自治州若羌县北境，罗布泊的西北角、孔雀河道南岸七公里处。

西汉时，楼兰人口稠密，商旅云集，有整齐的街道，雄壮的佛寺、宝塔。楼兰国开始依附于强大的匈奴，攻杀汉朝使者，劫掠商人。汉武帝发兵破之，俘虏楼兰王，迫使其附汉。但是楼兰又听从匈奴的反间之计，屡次拦杀汉朝官吏。

汉昭帝元凤四年（前 77），大将军霍光派遣傅介子领几名勇士前往楼兰，设计杀死了楼兰王，立其弟为王，改国名为鄯善，将都城南迁，并设置了都护府对其进行管理。东晋后，中原群雄割据，混战不休，无暇顾及西域，楼兰逐渐与中原失去联系。到了唐代，

中原地区强盛，唐朝与吐蕃又在楼兰多次兵戎相见。然而，不知在什么年代，楼兰国神秘地消失了。关于楼兰古国的消失，学者们进行了很多猜测，有的说是过度开发导致水土流失；有的说是瘟疫，大量人畜死亡。总之，这个曾经盛极一时的西域王国今天只剩下遗迹，供后人凭吊。

思考讨论

古人说“但愿生入玉门关”，因为玉门是西域和中原的通道，故军人都盼望着能够活着回家，与亲人团聚。试体会《从军行·其四》诗中军士遥望玉门的复杂感情。

第三章　诗国高潮——盛唐诗（下）

山房春事·其二

岑　参[1]

梁园日暮乱飞鸦[2]，极目萧条三两家[3]。

庭树不知人去尽，春来还发旧时花。

注释

[1]岑参（715—770）：南阳人，后徙居江陵（今属湖北）。天宝三年（744），登进士第，授右内率府兵曹参军。八年（749），入安西高仙芝幕，充节度掌书记。十三年（754），复入封常清幕。官终嘉州刺史。他与高适同为边塞诗人的代表。　[2]梁园：汉时梁孝王刘武所建，刘武喜欢结纳文人，著名的辞赋家司马相如、枚乘等人都曾在这里宴饮。故址在今河南省商丘市。　[3]极目：放眼望去。

赏析

《山房春事》是岑参早年游历大梁（今河南开封一带）时所作。梁园是西汉名园，几百年后，已是萧条破败。此诗即是凭吊梁园的怀古之作。

暮色笼罩下的梁园萧条黯淡，乌鸦乱飞；即使极目远眺，四周也不过两三户人家。昔日的梁园却是车马盈门、宾客满座，昔盛今衰之感何其明显，使人不由得心生伤感。但是虽然人事如此，自然界的花草树木却不因人事的萧条而停止它们生命力的活跃。人来人去，兴衰世变，都与它们无关。于是，在这春天来临之际，它们依旧是花团锦簇，展示出一番勃勃生机。“旧时花”三字，给人以物是人非之感。但无论新旧，庭园里的花仍像当年一样鲜艳、灿烂，但这种繁华似乎更衬托出今日梁园的衰败与没落。

以乐景写哀情，以盛况衬衰败，本是文学里常见的一种手法，这里却哀而不伤，诗人以轻倩的笔调写出了对繁华易逝的慨叹。

文史链接

梁园与梁孝王

梁园是汉文帝子梁孝王刘武所建，并因此得名。当年的梁园规模宏大、富丽堂皇，亭台楼阁星罗棋布，奇花异草遍地种植，珍禽异兽出没其间，这里成了景色秀丽的人间天堂，引人神往。

更难得的是，梁孝王酷爱文学，他的帐下集聚了大量的文士，如司马相如、枚乘等著名文人也被招入府中，他们都是当时的文豪，才气横溢。文人们经常聚集在这里论文谈诗、饮酒唱和，形成了著名的“梁园文学群”，成为文学史上的一段佳话。而这文酒风流的梁园，也成为后世文人笔下经常提及的地方。

思考讨论

中唐著名诗人刘禹锡的《乌衣巷》一诗写道：“朱雀桥边野草花，乌衣巷口夕阳斜。旧时王谢堂前燕，飞入寻常百姓家。”这里用的是“旧时燕”，而岑参《山房春事·其二》中用的是“旧时花”，试分析诗人这样写的用意。

走马川行奉送封大夫出师西征[1]

岑　参

君不见走马川行雪海边[2]，平沙莽莽黄入天[3]。

轮台九月风夜吼[4]，一川碎石大如斗，随风满地石乱走[5]。

匈奴草黄马正肥[6]，金山西见烟尘飞[7]，汉家大将西出师[8]。

将军金甲夜不脱，半夜军行戈相拨[9]，风头如刀面如割[10]。

马毛带雪汗气蒸[11]，五花连钱旋作冰[12]，幕中草檄砚水凝[13]。

虏骑闻之应胆慑[14]，料知短兵不敢接[15]，车师西门伫献捷[16]。

注释

[1]走马川：又称左末河，在今新疆维吾尔自治区内的车尔臣河。行:古代诗歌的一种体裁，统称“歌行体”。封大夫:即封常清，时以御史大夫身份，兼任北庭都护、伊西节度使、瀚海军使，是西北边疆军队的统帅。岑参此时在封常清幕中担任节度判官。西征:指向西征讨叛乱的播仙镇。 [2]雪海：今新疆维吾尔自治区吉木萨尔县南之天山，常年雨雪，雪峰层叠。 [3]平沙：平地上的风沙。莽莽：苍茫无边。入天：直吹到天上。 [4]轮台：在今新疆库车县东。封常清驻军于此。 [5]石乱走：指石头被风吹得滚动。 [6]匈奴：汉朝时侵扰边境的少数民族。这里指播仙部落。草黄马正肥：一般这个时候，是游牧民族向内地侵扰的最佳时机。 [7]金山：今新疆境内的阿尔泰山。烟尘：古代哨所报警的狼烟。 [8]汉家大将：指封常清。 [9]军行：指行军打仗。戈：古代的一种兵器。拨：碰撞。 [10]风头：指风势。 [11]汗气蒸：热汗渗出，像气一样上升。

[12]五花:指五花马。将马鬣剪成五瓣花的式样,作为装饰。连钱:良马名。旋作冰：指马身上出的汗一会儿就凝成冰了。

[13]草檄（xí）:起草征讨敌人的文书。砚水凝：砚台里磨墨用的水都冻成冰了。 [14]虏骑（jì）:敌人的骑兵。胆慑（shè）:

胆寒心惊。 [15]料知：料想到。短兵：刀、剑等短兵器。这里是指与敌人交锋。 [16]车师：汉代西域国名，后来被北魏所灭。伫：等待。献捷：献来捷报。

赏析

这首《走马川行奉送封大夫出师西征》是岑参的代表作，也是边塞诗中的名作，用这种歌行体来表现边塞军旅的生活，似乎更能表现大唐军队的威严，更能展现盛唐时代军队昂扬的斗志。

开篇几句是歌行体的典型特征，如李白的《将进酒》，就用“君不见……”之类的句子。这样写，使得诗歌气势纵横，不拘一格。另外，用第二人称的方式，也显亲切，如对面交谈一样，告诉读者自己在边塞所体验的那些独特风光：终年雨雪霏霏的雪海，黄沙茫茫的大漠，直入天际的风沙。这些还都不算什么，更为奇特的是，轮台地区九月的大风，竟然可以将大如斗的碎石吹得满地乱滚。这样写或许有所夸张，但表现了边塞狂风的凌厉，展现了边塞环境的严酷。然而就是在这样的条件下，我们的唐军将士出师杀敌了。“匈奴草黄马正肥，金山西见烟尘飞”两句，点出了此时正是游牧民族活动的高峰期，敌人仗着季节优势作了充分的准备，屡屡对大唐边境进行骚扰。而我军将领决不容许敌人侵犯，他们夜不脱甲，半夜顶着像割面的寒风，在大雪中行军。这种酷寒的天气，连五花马和连钱马身上出的汗都冷却结成了冰，连军幕中起草檄文时，磨墨用的水都冻成冰了。诗人反复渲染外界气候的严寒，正在于突出唐军将士的大无畏精神和勇于夺取胜利的决心。于是在诗歌最后三句，诗人笔锋一转，写出了我军军容严整、不畏艰苦的精神对敌人造成的威慑。最终结果是，那些胡人们根本不敢与大唐军队正面交锋，早早就遁逃了，我们就站在西门外等着胜利的好消息吧。语句中洋溢着自信和豪迈之情。

全诗语言壮阔，气势宏大，仿佛是一曲激昂壮美的盛唐行军乐，诗人用夸张的笔调、雄肆的语言和凌厉的气势，再现了一千多年前盛唐军队的威武和勇敢，读来使人心胸开阔，豪气顿生。

文史链接

岑参、高适与边塞诗

如果没有边塞诗，盛唐诗歌园地里无疑少了一朵奇葩。而边塞诗人如果离了岑参、高适，更是难以想象。初唐四杰有一腔报效边地的豪情壮志，但由于时空的限制，他们没有出塞的机会，只能是凭借想象去抒写。高、岑二人则都有过亲身从军出塞的体验，故他们的诗读来更真实感人。

高适于天宝十二年（753）入哥舒翰河西幕府。岑参入塞的时间更长，他于天宝八年（749）、天宝十三年（754）两次入安西（统辖今天的新疆一带）都护府幕。尽管他们只是做文书工作，以笔砚从事于军旅之中，却也有机会亲自参加出师、逐虏、班师的过程。所以，他们的边塞诗歌，往往更能真实地再现唐军与边塞少数民族的战争场面，表现唐军的声威和行军的艰苦，这些都是一般诗人所不能比的。

思考讨论

岑参在《送李副使赴碛西官军》一诗中写道：“火山六月应更热，赤亭道口行人绝。知君惯度祁连城，岂能愁见轮台月。脱鞍暂入酒家垆，送君万里西击胡。功名只向马上取，真是英雄一丈夫。”结合此诗，体会岑参早年从军塞外的激情与理想。

别董大[1]

高　适[2]

千里黄云白日曛[3]，北风吹雁雪纷纷。

莫愁前路无知己，天下谁人不识君？

注释

[1]董大：指董庭兰，是当时著名的音乐家。　[2]高适（700—765）：字达夫，沧州渤海（今属河北）人。早岁家贫，客游梁、宋间，落拓不遇。后参加朝廷有道科考试，及第，授封丘尉。入河西节度哥舒翰幕府，掌书记。官终左散骑常侍。他和岑参同为盛唐边塞诗人的代表。　[3]曛（xūn）：昏暗貌。

赏析

董庭兰是当时给事中房琯的门客，房琯被贬为宜春太守，因此董庭兰也要跟着离开长安了。离开熟悉之地去往他乡，董大的心情可想而知，但诗人发之以慷慨语，勉励友人把心放宽：海内都会有你的知己。

这是冬季一个阴沉的天气，黄云弥漫，这是大雪要来的预兆。

此时诗人和友人在野外握手分别，遥望前路，北风呼啸，雨雪霏霏，连南归的大雁也被吹得歪歪斜斜。这一切都为这次离别增添了几许惆怅，给人的心情更添了几许忧郁。但诗人笔锋一转，安慰友人道，你不要因为到了陌生的地方，就担心没有人赏识你。天下之大，凭借你的才能，天底下的人了解你之后，很快就会赏识、爱戴你的，而你的才华也必不会埋没。

古代交通不便，友人一旦分离，再见不知何时，故送别诗多以抒发分别时的离愁别绪为主，格调比较伤感。初盛唐的两首诗却是例外，一是王勃的《送杜少府之任蜀州》，二是这首《别董大》了。两首诗均表现出积极昂扬的姿态，一扫离别给人带来的郁结伤感，显得豁达开朗，别具一格。

文史链接

董庭兰学艺

董大，名庭兰，是唐代开元、天宝年间著名的音乐家。他青年时，师从风州著名琴师陈怀古，学到了一身绝技，尤其善于弹奏难度比较高的七弦琴，这在当时已经是很难得。但由于曲高和寡，无人能欣赏。于是他又开始学习吹奏筚篥（bì lì，一种以软芦为簧、以竹为管的竖笛）这种西域乐器，很快就成为当时最负盛名的筚篥演奏家。后来，他又学会了弹胡笳（形似筚篥而无孔），一奏便震惊四座，大家都赞叹不已。

最可贵的是，董庭兰懂得吸收诸家之长以形成自己的特色。古代艺人居住比较分散，他就四处拜访名师，登门求教，虚心学习。这一切使得他的演奏艺术达到了出神入化的地步，著名诗人李颀在《听董大弹胡笳声兼语弄寄房给事》一诗中就有详细描述。

思考讨论

王勃在《送杜少府之任蜀州》一诗中写道："城阙辅三秦，风烟望五津。与君离别意，同是宦游人。海内存知己，天涯若比邻。无为在歧路，儿女共沾巾。"仔细阅读这首诗，结合《别董大》，感受送行诗的另一种风格。

人日寄杜二拾遗[1]

高　适

人日题诗寄草堂[2]，遥怜故人思故乡[3]。
柳条弄色不忍见[4]，梅花满枝空断肠[5]。
身在南蕃无所预[6]，心怀百忧复千虑。
今年人日空相忆，明年人日知何处？
一卧东山三十春[7]，岂知书剑老风尘[8]。
龙钟还忝二千石[9]，愧尔东西南北人[10]。

注释

[1]人日：农历正月初七，这一天有登高赋诗的传统。杜二拾遗：指杜甫，他在家中排行第二。拾遗，是杜甫在唐肃宗至德年间的官职，这时已经辞去，但诗中仍称他的旧职。　[2]草堂：杜甫于上元元年(760)在成都浣花溪旁建造的住处。　[3]故人：

老朋友，这里指杜甫。 [4] 弄色：指柳条变成绿色。[5] 断肠：极度愁苦。 [6] 南蕃（fān）：指蜀地。这时高适任蜀州刺史（今四川崇州）。 [7] 东山：在今浙江上虞西南，是东晋名相谢安隐居之地。三十春：即三十年。 [8] 书剑：读书和击剑。这里是说自己的文武之才。 [9] 龙钟：老态纵横的样子。忝：羞愧。二千石：汉制，郡守俸禄为粮食二千石，即月俸百二十斛。世因称郡守为“二千石”。这里指刺史的俸禄。 [10] 尔：你。这里指杜甫。东西南北人：指居无定所、四处漂泊的人。这里仍指杜甫。

赏析

唐肃宗上元二年（761），高适任蜀州刺史，好友杜甫恰好也在成都，于是高适在人日这天作了这首诗寄给杜甫，表达对友人的思念及对彼此遭遇的感慨。

开头两句平铺直叙，述说在人日这天，“我”想起了老朋友，于是给你写了一首诗。一方面是想念老朋友，另一方面也是怀念家乡了。接下来四句，是述说诗人自己的感受，正如写信，先说说自己的近况。因为人日是正月初七，春天就快来了，柳条开始泛青，但面对这春天即将到来的征兆，“我”却不忍心看下去了，因为那样会使“我”更添离愁；而那满枝的梅花，繁盛耀眼，也只能使“我”更加肠断。想想那些逝去的日子里，“我”身在南蛮边鄙之地，感觉百无聊赖，心中常常充满了无比的忧伤与焦虑。以上六句都是诗人在述说自己的怀才不遇。

接着诗人开始倾诉与友人的交谊，今年的人日这一天，我俩虽然只是白白思念，无由得见，却也还知道彼此的消息，明年的人日，我俩又在何处呢？这是对人活在世上，命运往往不能由自己做主，漂泊无依的沉痛表达。末句用东晋谢安的典故，又说到了自己内心的不平:“我”过去曾经隐居了三十多年,学文习武,渴望能报效国家。而如今呢，风尘碌碌，年华与才能都已在岁月中消磨殆尽了。尽管如此，在“我”老迈之时，尚有朝廷给“我”的二千石俸禄，而好友你呢，却是落魄不幸、四处漂泊，到现在仍是居无定所。这里既有惺惺相惜之情，又有对杜甫不幸遭遇的同情。

全诗饱含深情，既表达了对好友流落异乡、四处奔走的不幸遭遇的同情；也表达了自己困于蜀地，无法施展才能的无奈，虽然直率浅显，却不落俗套，读来令人动容。

文史链接

东山再起

谢安是东晋时期的著名政治家。他不愿做官，便辞掉了官职，隐居在会稽附近的东山上，每天与朋友们游山玩水、饮酒作诗。但这无法掩盖他卓越的才华，他在当时人们心中的地位仍然很高。国家有难时，朝廷总是会想到他。

公元 383 年，北方的前秦想统一中国，皇帝苻坚亲自带领大军南下。消息传到建康（今江苏南京），孝武帝和大臣们手足无措，只好把谢安再次请来,这就是“东山再起”的典故。谢安到了朝廷后，运筹帷幄，带领东晋将士在淝水（今属安徽）一带打退了前秦的进攻，并收复了一些失地。“淝水之战”也成了中国历史上又一次以少胜多的著名战役。

思考讨论

过了几年后，杜甫作了一首《追酬故高蜀州人日见寄》诗，其中写道:“自蒙蜀州人日作，不意清诗久零落。今晨散帙眼忽开，迸泪幽吟事如昨。”结合此诗，体会高适《人日寄杜二拾遗》一诗中体现出来的对友人的深厚感情。

除架[1]

杜甫[2]

束薪已零落[3]，瓠叶转萧疏[4]。
幸结白花了，宁辞青蔓除[5]。
秋虫声不去，暮雀意何如。
寒事今牢落[6]，人生亦有初[7]。

注释

[1]除架：拆除掉支撑藤蔓植物生长的架子（一般用木头或竹子搭建）。　[2]杜甫(712—770)：字子美，巩县(今河南巩义)人。早年漫游吴越。举进士落第，复游齐赵。天宝五年（746)，入长安，再应试落第，遂居留长安。安史叛军陷两京，被俘困长安。至德二年（757)，奔凤翔行在，授左拾遗。因疏救房琯，乾元元年（758）贬华州司军参军，二年（759）弃官，经秦州、同谷入蜀，在成都营草堂居住。广德二年（764)，好友严武荐举为节度参谋，检校工部员外郎。杜甫是伟大的爱国诗人，在诗歌史上，被誉为“诗圣”，对后世影响深远。他与李白并称为“李杜”，有唐代诗歌史上的“双子星座”之称。　[3]束薪(xīn)：一捆柴木。这里指为支撑瓠(hù)

瓜生蔓而立的架子。 [4]瓠：草本植物，夏天开花，结长圆的果，嫩的可做菜吃。又叫瓠瓜、长瓠等。萧疏：萧条零落。 [5]宁(nìng)辞:宁肯推辞。这里是反问,是“怎么能够推辞、拒绝”的意思。青蔓:青色的茎。 [6]牢落:稀疏零落貌。 [7]初:开始。

赏析

杜甫的诗歌以沉郁为最大特色，所谓“沉郁”，就是沉着厚重，声调比较低沉，感情相对厚重。这首《除架》诗在杜集中可能算不上名作，却是一首佳作。

全诗似乎在替瓠瓜代言，诉说它走过的历程。在初秋之际，那瓠瓜的架子已然零落，到了该拆除的时候了。回顾“我”所经历的这一年，曾经开过花、结过果，现在已经残枝败叶，即使将“我”拆除了，又有何怨言呢？“幸结白花了，宁辞青蔓除”，十个字含义深刻，意味无穷。一般花只能是“开”，这里却用了一个“结”字，于是就含有了两重意思，即开花和结果。它告诉我们：如果一个人的一生也像这瓠瓜一样，开过花，结过子，就算是完成了自己，没有枉来人世一场。因此即使它被拆掉，也没有什么遗憾的了。这真是一种高尚的情操，是诗人自己心声的阐释。这时，秋虫声声，萦绕耳畔；暮雀哀鸣，情深意长，仿佛在为这即将拆除掉的瓠瓜架而悲叹。虽然时间已到了暮秋，一片萧条，但“我”也没什么惋惜的了。诗人最后说“人生亦有初”，很发人警醒。他提示我们：人年轻的时候，都有一颗奋发向上的心，想要做一番事业，但到晚年的时候，我们需要问问自己，这一生你尽到自己的责任了吗？做到问心无悔了吗？

全诗语句平淡，却耐人寻味，既是杜甫一生不甘无所事事、力求有用于时的自述，也是千古志士的呼声。

文史链接

杜甫的十载困守长安

年轻时的杜甫就有志于报效国家，当时一般走入仕途的方式是通过科举考试，杜甫努力读书，在他三十五岁那年进京赶考。以他的才能，本来是可以考上的，没想到时运不济，当时的奸相李林甫对唐玄宗说“野无遗贤矣”，意思是：民间没有什么人才了。于是，那一科考试没有一个人被录取。杜甫也不例外。

从此后，杜甫开始了他十年长安求进的生涯。他白天四处拜访有权势的人，希望得到引见。傍晚的时候，一个人拖着疲惫不堪的身子往回赶。因为家境贫寒，他住在京城长安的郊区，要走很长一段路才能回家。最后，通过向玄宗献《三大礼赋》，才得到一个卑微的官职。这十年里，他受尽了屈辱，经常挨饿受冻，受人白眼。然而也就是这十年里，他看到了统治阶级的骄奢淫逸、普通百姓的痛苦流离，为他成为一个忧国忧民的诗人奠定了基础。

思考讨论

青年时期的杜甫曾经在登泰山时，写下一首著名的《望岳》诗：“岱宗夫如何，齐鲁青未了。造化钟神秀，阴阳割昏晓。荡胸生层云，决眦入归鸟。会当凌绝顶，一览众山小。”体悟这首诗的语言风格，理解青年杜甫的胸襟抱负。

房兵曹胡马[1]

杜　甫

胡马大宛名[2]，锋棱瘦骨成[3]。
竹批双耳峻[4]，风入四蹄轻[5]。
所向无空阔[6]，真堪托死生[7]。
骁腾有如此[8]，万里可横行[9]。

注释

[1]兵曹：兵曹参军的省称，为唐代州府掌管军防、驿传等事的小官。胡马：来自西域的马。　[2]大宛（yuān）名：著名的大宛马。大宛，汉西域国名，在今乌兹别克斯坦境内，盛产良马。　[3]锋棱（léng）：锋利的棱角。这里形容马骨骼健悍。　[4]批：削。峻：尖锐。　[5]风入四蹄轻：四蹄轻快，

奔跑起来如风一样。 [6] 所向：马奔向之处。无空阔：不知有空阔。意思是不论多远，顷刻即到。 [7] 堪：可以。托死生：指能够把生命托付给它。 [8] 骁（xiāo）腾：勇健奔腾的样子。 [9] 横行：长驱无阻。

赏析

在古代，马是一种很重要的交通工具，不少诗人都曾写过关于马的诗。杜甫也不例外，他经常借马寓志，抒写抱负。这首《房兵曹胡马》是杜甫诗中比较有代表性的一首。

起句开门见山，直接指出了这匹马的不同凡俗，它非产自中原，而是来自大宛国，是一匹胡马。它骨骼劲健，棱角分明。两耳像刚削过的竹子一样，尖尖挺立；奔跑时，四蹄如飞一般，风驰电掣，轻快无比。前四句是写胡马的外形，刻画细致。接着深入一层，开始写胡马的气概和品质，这是指出它的内涵。它奔腾向前，从不计较路程的长短，真是可以把生命托付给它的。赞扬之情溢于言表。末尾是总结，夸赞有如此勇猛健硕的一匹骏马，真是可以骑上它驰骋万里，建功立业的。这是对房兵曹的勉励语，当然也是杜甫内心的志向抒发。

全诗读来清劲有力，有一股真气运行其间，这匹凌厉刚健、奔腾驰骋的骏马，无疑也是杜甫自己精神的寄托。

文史链接

大宛马

大宛是古西域国名，在今中亚费尔干纳盆地。古时这里盛产良马。据说，大宛马是天马的儿子，故善于奔跑，并且它在奔跑时，流出的汗水像血一样，因此得名“汗血宝马”。

西汉张骞出使西域后，中原开始派使者和西域各国来往。他们在贰师城看到了强健的大宛马，回来奏知汉武帝。武帝闻讯大喜，想求得一匹，却遭到拒绝。武帝大怒，派大将军李广利率大军远征大宛国。大宛国人难以抵挡，于是杀了国王，与汉军议和，并同意向汉朝提供良马。汉军挑选了三千匹良马运回中原，因为水土不服，到达玉门关时仅余一千多匹。得到汗血宝马的武帝十分高兴，将“天马”的美名赐予汗血宝马。武帝还让汗血宝马等西域良马与蒙古马杂交，培育出山丹军马。从此，中原的马种得到改良，汉代的生产力和军队的装备也因此大幅增强。

唐朝时，中原与西域诸国的关系更为密切，有更多的西域马匹流入中原。这也使得诗人们写出了更多的赞美马的诗句。

思考讨论

中唐诗人李贺也写过一首《马》诗：“大漠沙如雪，燕山月似钩。何当金络脑，快走踏清秋。”仔细阅读，联系杜甫的《房兵曹胡马》，体味诗人对“马”这一意象的精神寄托。

赠李白

杜 甫

秋来相顾尚飘蓬[1]，未就丹砂愧葛洪[2]。

痛饮狂歌空度日[3]，飞扬跋扈为谁雄[4]。

注释

[1]相顾：互相对视。尚：犹，还。飘蓬：飘荡的蓬草。蓬，草本植物，叶如柳叶，开白色小花，秋天根枯，随风飘落。常用来比喻人的行踪不定。　[2]未就：未能成功。丹砂：朱砂，道家炼丹的材料。葛洪：东晋道士，自号抱朴子，曾入罗浮山炼丹。　[3]痛饮：痛快淋漓地饮酒。　[4]飞扬跋扈（hù）：不守常规，狂放不羁。为谁雄：到底为了哪个而逞雄呢？

赏析

李杜二人的交往，在唐诗史上是一段美谈。闻一多先生说："我们四千年的历史里，除了孔子见老子，没有比这两人的会面，更重大，更神圣，更可纪念的。"天宝三年（744），杜甫与李白在洛阳相识，二人共同游历了梁宋。次年，又同游齐越。他们驰马射猎，情同兄弟。这年秋天，二人在鲁郡分别，杜甫写了这首诗。此诗可谓是杜甫对李白的知己语。

起句写二人的不幸遭遇。秋天到了，我们二人却仍像无根之蓬一般，四处游荡。这一句不但是对这位不幸天才的深深的理解，而且道尽了他的追求落空和飘零落魄的悲哀；同时，还指出了二人惺惺相惜，更是因为经历的相似。第二句说我们虽然也学过道家，但没有真正能够像葛洪一样，隐居深山，潜心炼丹，做一个隐士。这里暗指李白的学道，并非是真正的学道，他其实还是想出来做一番事业的。可是，举世的人谁能理解这位天才的痛苦呢？谁能让他施展自己的抱负呢？既然出世入世都不成，那么接下来怎么办？只能是"痛饮狂歌空度日"了！李白诗中，常常出现"酒"与"愁"，如"呼儿将出换美酒，与尔同销万古愁"，饮酒是李白解忧的一种方法。然而借酒消愁的同时，也将大好的时光白白浪费掉，所以说是“空度日”。但这能消除理想落空的悲哀与痛苦吗？第四句就写出了这位绝世天才的绝世寂寞。因为李杜二人并非泛泛的“酒肉之交”，而是真正的心灵之友。李白的豪放不羁、放浪形骸，并不是要做给谁看。在杜甫眼里，这其实是天才被埋没的寂寞，是无人赏识的悲哀。而杜甫又何尝不是如此？他一生忠君报国，“致君尧舜”的志向何尝又片刻得展？真是可悲可叹。这是对封建社会埋没人才的有力抨击。

杜甫的这首《赠李白》，千载后读来，仍让人为二人的真挚友谊而感动。而“痛饮狂歌空度日，飞扬跋扈为谁雄”，也成了千古人才不遇的最好解脱。这大概就是诗歌的永恒魅力。

文史链接

李白的“隐”与“仕”

战国时候就开始出现了方士，他们通过炼丹以求长生不老。实质上，他们炼出的只是一种化学药品，服食后反倒对身体有害。到了唐朝，由于皇帝姓李，因此将道家始祖李耳（即老子）尊为始祖，崇尚道教，这就使得炼丹之风在唐代尤其盛行。

李白表面上痴迷于学道求仙，可从内心上说，却明白长生不老是不可能的。他曾经作诗讽刺秦始皇“徐市载秦女，楼船几时回？但见三泉下，金棺葬寒灰”。意思是说，徐福（即徐市）受秦始皇的使命，去海外仙山求长生不老之药，可什么时候才能回来？始皇帝白白等了一场，最后还不是葬在了九泉之下？可见李白对道教的炼丹成仙也是怀疑的，所以他的醉酒、炼丹，无非是他在不得志时候的一种狂放表现，借这些活动来掩盖内心的失意。而这些只有他的老友杜甫能够理解，这也是《赠李白》一诗的感人之处。

思考讨论

对李白遭遇的同情，杜甫在《不见》一诗中说得更为直接："不见李生久，佯狂真可哀。世人皆欲杀，吾意独怜才。敏捷诗千首，飘零酒一杯。匡山读书处，头白好归来。"结合《赠李白》，体会杜甫与李白之间的深厚友谊。

九日蓝田崔氏庄[1]

杜　甫

老去悲秋强自宽[2]，兴来今日尽君欢。
羞将短发还吹帽[3]，笑倩旁人为正冠[4]。
蓝水远从千涧落[5]，玉山高并两峰寒[6]。
明年此会知谁健[7]？醉把茱萸仔细看[8]。

注释

[1]九日：农历九月九日重阳节。蓝田：地名，今属陕西。
[2]强（qiǎng）：勉强。自宽：自我安慰。　　[3]短发、吹帽：用晋书孟嘉的典故。孟嘉是东晋桓温的参军，一次聚会时，他被风吹落了帽子，露出了稀疏的头发，桓温于是让孙盛作了一篇文章取笑他。后来"孟嘉落帽"的典故被后世文人看做雅事，经常引用。
[4]倩：请，央求。正冠：使帽子端正。　　[5]蓝水：即蓝溪，在蓝田山下。　　[6]玉山：即蓝田山。因其地盛产玉石，故名。

[7] 健：健在。 [8] 茱萸（zhū yú）：植物名，气味浓烈。古时重阳节有插茱萸的传统，据说可以避恶气。看：读 kān。

赏析

乾元元年（758），杜甫被贬为华州司功参军，后至蓝田（今属陕西）崔氏宅赴宴，在朋友席上作了这首诗，表现了对自己日渐衰老却一事无成的感慨。

开头就点出"悲秋"二字，一是时令之悲，一是自己年岁之悲。"悲秋"是中国传统诗歌中的一个常见题材，枯叶纷纷，秋雁声声，总是能引发无数多情诗人的感叹，从而创作出许多佳作。但诗人自叹年已衰朽，面对这萧瑟的秋景，宽慰自己，还是不要再发悲秋之叹了吧，趁着兴致与主人一起畅饮吧。"短发吹帽"用了东晋孟嘉典故，后来文人都以"落帽"为雅，但诗人这里却说是"羞"，并且还让别人帮着自己正一正帽子，以防被风吹落。这里包含了杜甫的无数辛酸，一种年岁老大、功业无成的感慨蕴涵其中。一般的诗人写到这里，都会接着写不遇的感叹，杜甫却宕开一笔，转而写窗外蓝田山的壮美风景：那蓝溪的水从远处而来，千涧汇流一处；玉山的双峰并峙，直插云霄，寒峭冷峻。这一联气势开阔，对仗工稳，常为后人叹赏不已。这是用江山的美景常存来衬托个人生命的短暂、年岁的易逝。最后一联，意味深长。诗人又转回到现实人生，他感叹道：这样的欢会固然是好，但明年这个时候，我们这些人还有机会聚在一起，开怀畅饮吗？于是，诗人借着酒兴，乘着醉意，他仔细把玩着那重阳节的代表事物——茱萸。其实，这里同样饱含了杜甫的无限感慨，耐人寻味。

全诗表面看来语言朴实，却蕴涵着无限的沉痛悲凉，这是杜甫诗"沉郁"的表现之一。

文史链接

重阳节

重阳节在农历九月初九，是我国传统节日之一。在古代，这一天人们都要饮菊花酒，插茱萸。茱萸，是重阳节时候成熟的一种植物，气味浓烈，插到头上可以避恶气。

相传，古代有个神仙叫费长房，他对朋友桓景说："九月九日这一天，你家有一场灾难，你赶紧回去，把茱萸花盛在香囊里、系在手臂上，并且登高、饮菊花酒，这场灾难就可以消除。"桓景照他的方法做了，家人安然无恙。到了晚上回家一看，发现家中的鸡犬牛羊都死了。

到了唐代，重阳正式被定为民间的节日，而登高、插茱萸、饮菊花酒，也就成了重阳节的风俗，一直流传至今。

思考讨论

杜甫的《绝句》诗写道："两个黄鹂鸣翠柳，一行白鹭上青天。窗含西岭千秋雪，门泊东吴万里船。"结合《九日蓝田崔氏庄》中的"蓝水远从千涧落，玉山高并两峰寒"，体味杜甫诗中写景的开阔和优美。

秋雨叹

杜　甫

雨中百草秋烂死[1]，阶下决明颜色鲜[2]。
著叶满枝翠羽盖[3]，开花无数黄金钱[4]。
凉风萧萧吹汝急[5]，恐汝后时难独立。
堂上书生空白头，临风三嗅馨香泣[6]。

注释

[1]烂死：指秋草因浸泡而腐烂。　[2]决明：一年生草本植物，夏初生苗，开黄花。作药材有明目功效，故名。　[3]著（zhuó）叶：依附着叶子。著，依附、附着。翠羽盖：形容树叶繁茂，如羽毛做的车盖。　[4]黄金钱：决明开的花像金色的钱币。　[5]汝：你。指决明。　[6]三嗅（xiù）：多次地闻。

赏析

《秋雨叹》共三首，这里选的是第一首。天宝十三年（754），长安秋雨不止，百姓生活堪忧。权相杨国忠欺下瞒上，杜甫好友给事中房琯不惧权贵，上疏指出百姓的疾苦。杜甫在这首诗中赞扬了友人的高洁品质。

起句是直笔抒写，在那多日的秋雨中，百草都被浸泡腐烂了，而台阶下的决明却颜色鲜艳。这里一是实写，描述秋雨中百草的腐烂；二是暗指当时群臣碌碌，都为自己谋身，只有房琯如同那“决明”一样，颜色独鲜，敢于仗义执言，指出秋雨对百姓的祸害。

第二联写决明的繁茂多姿。在初秋的时候，它依旧翠叶满枝，亭亭如盖；花朵娇艳，朵朵明媚。这里还是借决明来赞颂房琯不同流合污的高洁品质。第三联表现了对房琯命运的担心。时节毕竟是暮秋之际，那秋风瑟瑟，吹拂不止，决明的勃勃生机或许也持续不了多久吧？这里是由秋风对决明的摧残而担心房琯也会受到打击报复。诗人用了第二人称“汝”，把植物当做人来和它对话，实际上是对友人命运的深切关切。最后一联，还是赞叹决明的高洁芬芳。“堂上书生”指诗人自己，诗人感叹自己无权无职，不能像友人一样，替百姓直言、为朝廷解忧，只能是“空白头”，任岁月流逝，一事无成。故而诗人闻到决明的馨香，泪如雨下。这里其实还是表现了诗人因房琯的高尚品德而感动、而受到激励。

全诗借花喻人，却不露痕迹，深厚可味，表现了诗人高超的艺术技法，也是传统比兴寄托的一种运用。

文史链接

《秋雨叹》三首的背景

天宝十三年（754）的秋天，秋雨断断续续下了两个多月，长安城内的很多房舍都塌陷了，百姓居无定所。田地里快要收割的庄稼也都被水淹没，并且腐烂了。唐玄宗很担心粮食的收成，向大臣询问百姓的生活情况。宰相杨国忠却欺骗玄宗说，虽然秋雨太多，却没有影响到庄稼的收成，并且还找了些情况比较好的禾苗让皇帝看。玄宗于是放下心来，以为秋雨对百姓的生活无伤大碍。

这时杜甫的好友房琯上疏直言，说秋雨确实伤到了庄稼，影响了百姓的生活，指出杨国忠的奸诈误国。杨国忠大怒，命御史调查房琯的言行，陷害房琯，后来将其贬为宜春尉。就是在这样的背景下，杜甫写了三首《秋雨叹》。

思考讨论

杜甫《春夜喜雨》写道："好雨知时节，当春乃发生。随风潜入夜，润物细无声。野径云俱黑，江船火独明。晓看红湿处，花重锦官城。"同样是写雨中之景象，请比较该诗与《秋雨叹》所表达的情感有何不同。

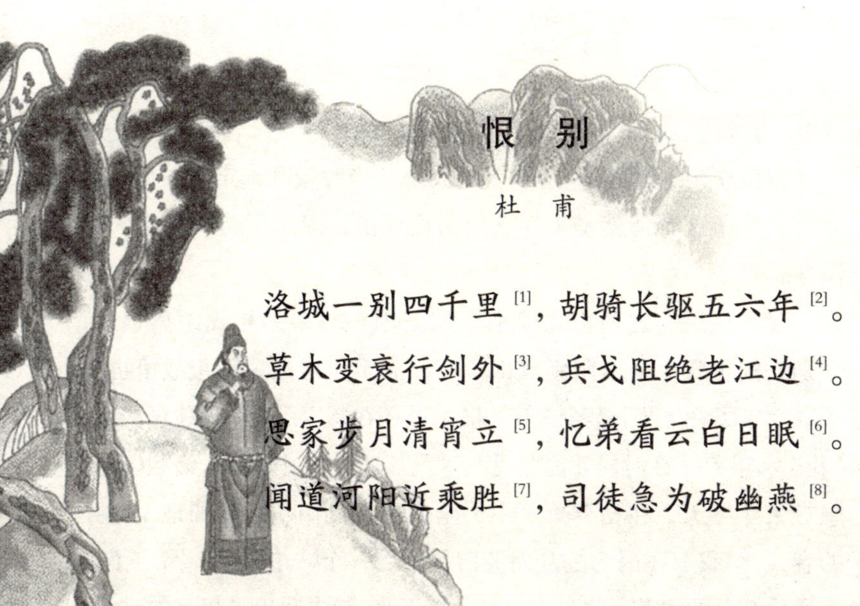

恨别

杜甫

洛城一别四千里[1]，胡骑长驱五六年[2]。
草木变衰行剑外[3]，兵戈阻绝老江边[4]。
思家步月清宵立[5]，忆弟看云白日眠[6]。
闻道河阳近乘胜[7]，司徒急为破幽燕[8]。

注释

[1]洛城：洛阳城。杜甫家在巩县，离洛阳不远。　[2]胡骑（jì）：这里指安史之乱的叛军。五六年：安史之乱从天宝十四

年（755）至作此诗的时间上元元年（760）已经五年多了，但洛阳尚未收复。 [3]剑外：即蜀中，剑门之南称剑外。杜甫乾元二年（759）冬入蜀。 [4]兵戈：指战乱。阻绝：阻断，隔绝。江边:成都锦江边。 [5]步月:在月下漫步。清宵:清静的夜晚。[6]看云：浮云飘移无定，古人常用来比喻出门在外的游子。[7]河阳：洛阳外围重镇，在今河南省孟县西。近乘胜：近日乘着胜利。指上元元年（760）四月，李光弼（bì）率军破史思明于怀州、河阳一带。 [8]司徒：指李光弼，时任检校司徒。急为：尽快为（国家）。幽燕：安史叛军的老巢，在今河北省怀来、永德及北京房山一带。

赏析

该诗作于上元元年（760）的成都。当时叛乱未定，不少亲人分散。杜甫这首诗就是为怀念弟弟而作的，显示了诗人对亲人的深深思念。

起句点题，之所以“恨别”就是因为与弟弟相隔距离很远，分别时间很长。从洛阳到成都，有四五千里之遥；平叛战争也打了五六年了，但天下至今未定，洛阳城还在叛军手里，被蹂躏践踏。“我”和弟弟什么时候才能相见？这是一“恨”。接下来，语句沉痛：想起去年冬天，在枯草萧萧中，全家进入剑门，来到蜀地；今年的春天，“我”还因为战乱而滞留蜀中。一个“绝”字，写出了亲人音信全无的痛苦。这是二“恨”。接下来，诗人写出了思乡的难熬：晚上想家，夜不能寐；白天看云，又在无聊中进入梦乡。这两句是说昼夜都在思念着亲人，但昼夜颠倒，这是三“恨”。最后一联诗人跳出个人情感的圈子，将思亲之心转向了忧国：近来听说河南地区有好消息，李光弼将军已经在怀州、河阳一带取得了胜利，那就盼着朝廷的军队乘胜追击，直捣叛军的老巢幽燕之地，早日让那天下离散的人团聚吧！诗人将普通人的悲欢离合与国运的兴衰成败紧密联系在了一起，不再拘于个人情感的小圈子，这是杜诗之所以伟大的原因。

全诗感情沉痛，紧扣题目，处处写“恨”，却不说“恨”。另外，气象开阔，将个人的情感和国家的兴衰联系起来，展现了杜甫诗特有的“先天下之忧而忧”的特点。

文史链接

安史之乱与杜甫的命运

天宝十四年（755）十一月，安禄山起兵范阳，一路势如破竹，攻下潼关，长安危在旦夕。唐玄宗带领部分皇子、后妃和大臣仓皇奔蜀。后来叛军内讧，安禄山被其子安庆绪所杀。安禄山部下史思明继续领兵对抗朝廷。这场叛乱一共持续了八年，到公元763年，才被平息下去。这就是“安史之乱”，它是唐朝由盛转衰的标志性事件。

至德元年（756），杜甫听说肃宗皇帝已于灵武即位，于是奔赴“行在”（战乱年代，朝廷的临时驻地），没想到半路却被叛军俘获，押回长安。第二年四月，杜甫逃出长安，赴凤翔行在。肃宗赞其忠义，拜左拾遗。后因疏救宰相房琯而被肃宗冷落，被打发回家探亲。两京收复后，杜甫仍没有得到重用，于是他弃官不作，回故乡洛阳去了一趟。路上看到安史之乱中广大百姓的不幸生活，悲愤不已，写下了著名的《三吏》、《三别》，反映战乱给人民带来的痛苦。故他的诗被人称为“诗史”。

思考讨论

“安史之乱”被平定的广德元年（763），杜甫在梓州写下了《闻官军收河南河北》诗：“剑外忽传收蓟北，初闻涕泪满衣裳。却看妻子愁何在，漫卷诗书喜欲狂。白日放歌须纵酒，青春作伴好还乡。即从巴峡穿巫峡，便下襄阳向洛阳。”结合此诗，理解杜甫将国运与个人命运结合在一起的思想感情。

第四章　走向反思——中唐诗

行　宫[1]

元　稹[2]

寥落古行宫，宫花寂寞红。

白头宫女在，闲坐说玄宗[3]。

注释

[1]行宫：皇帝出外巡行的临时住所。　[2]元稹（779—831）：字微之，洛阳人。贞元元年（785），以明经登第。十八年（802），举书判拔萃科，授秘书省校书郎。官终武昌节度使。元稹与白居易为至交，同倡新乐府，反映民生疾苦。诗与白居易齐名，世称“元白”。　[3]玄宗：唐玄宗李隆基（685—762），唐朝第七个皇帝，在位四十五年。他统治的时期，唐朝达到了鼎盛，后期爆发了安史之乱，从此唐朝走向衰落。

赏析

开元、天宝盛世，不仅是唐代最为辉煌的时候，也是中国历史上一个如梦如幻的时代，那个时代有盛唐诗的响亮、唐三彩的华丽、霓裳羽衣曲的柔美，这些都成了后人津津乐道的谈资。但

唐玄宗后期荒淫误国、不思进取，一代明君最终被软禁冷宫，郁郁而终，也成了人们哀叹、悲悯的对象。这首诗之所以千年传诵不绝，正是因为它虽然没有明说，却蕴涵了无限的古今感慨、历史兴衰。

玄宗是风流天子，经常出外巡行，比较常去的地方就是骊山的华清池等，这些地方都有皇帝的住所，称“行宫”。但是“安史之乱”以后的唐朝皇帝，已经没有玄宗的气度和胸襟了，他们大多保守安分，在皇宫里终其一生。故这些古行宫已经衰落、凋敝了。那些行宫外美丽的花朵，也无人观赏，只是“寂寞”地开着。同时，玄宗开元、天宝年间的宫女还有一些仍然活着，她们百无聊赖，聚在一起回忆着当年的玄宗皇帝，她们说的是什么？诗人没有说。但给今天的读诗者提供了无限的遐想空间，她们说的或许是玄宗与贵妃的缠绵爱情，或许是玄宗的英武潇洒，又或许是玄宗时代整个大唐王朝的兴盛繁华。这一切都不可知，只能供后人去想象，然而这正是绝句言短意长的好处。

全诗短短二十字，却意味无穷，语意妙绝，这正是诗人高明之处，也是绝句较之律诗更为难写的原因。

文史链接

唐玄宗与唐王朝

唐玄宗又称唐明皇，在他的统治下，大唐王朝达到了极盛，形成了著名的“开元盛世”，那是中华民族值得骄傲的一个时代，政治、经济、文化均达到了当时世界上的最高水平。文学上进入了诗歌的黄金时代，产生了以李白、杜甫为代表的一大批优秀的诗人。

唐玄宗在其统治后期，宠爱杨贵妃，又封杨国忠为宰相，各地藩镇力量也渐渐强大，大唐开始进入政治黑暗的时代，在东北边境的安禄山看到了可乘之机，于是繁华似锦的大唐王朝一下就陷入了动乱，百姓流离，连玄宗自己也入蜀避祸。虽然在郭子仪、李光弼等平叛将领的努力下，一年之后，就收复了长安。但物是人非，昔日宠爱的妃子已经不在了，手中的权力也已经没了，虽贵为太上皇，却只是有名无实，没有任何实权，最后被宦官李辅国进谗言，迁入大内，郁郁而终。但那个辉煌的时代和风流天子成为后人永不厌倦的谈资，也成为永远追念的历史。

思考讨论

杜甫曾经写过《忆昔》一诗，前四句为："忆昔开元全盛日，小邑犹藏万家室。稻米流脂粟米白，公私仓廪俱丰实。"意思是唐玄宗开元年间，小县城里也有万户人家。粮食生产年年得到丰收，公家和私人的仓库都满满的。结合此诗，理解中唐以后的人们对唐玄宗及其开元时代的怀念。

后宫词 [1]

白居易 [2]

泪湿罗巾梦不成 [3]，夜深前殿按歌声 [4]。

红颜未老恩先断 [5]，斜倚薰笼坐到明 [6]。

注释

[1] 后宫词：反映宫廷生活的诗。 [2] 白居易（772—

846）：字乐天，祖籍太原，徙居下邽。贞元十六年（800）登进士第。元和三年（808），除左拾遗，为翰林学士。官终刑部尚书。白居易于元和中提倡新乐府，指斥时弊，影响深远。与元稹合称“元白”。晚年居洛，与刘禹锡唱酬颇多，合称“刘白”。　[3] 罗巾：罗绮织成的手帕。　[4] 前殿：正殿。按歌声：敲着拍子唱歌。[5] 红颜：年轻的容颜。　[6] 斜倚：斜靠着。薰（xūn）笼：有笼覆盖的熏炉，可用来熏烤衣服。

赏析

古代皇宫中豢（huàn）养着很多年轻貌美的女子，皇帝一人可以拥有许多嫔妃，这种罪恶的制度致使很多女子终其一生，也未能见过皇帝，或者见过几次，即被弃在脑后，这就是这首《后宫词》所表现的深刻意义。

全诗开篇写这位宫中女子的哀怨，她的泪湿透了罗帕，怪怨自己的时运不济，甚至做梦都没有梦到皇帝来宠幸她，只是隐隐约约地听到正殿上传来了奏乐声，那一定是皇帝又有新宠了。听到这些，她的心里更加难过。“红颜未老恩先断”一句含义深刻，对皇帝的薄情、喜新厌旧的性格作了抨击。最后一转，回到了宫中女子本身，她百无聊赖，连梦也做不成，索性就倚着薰笼，坐到天亮吧。这其实是更进一步地揭示了皇宫女子的不幸命运，她们美丽的容貌无人赏识，就这样在冰冷的皇家宫殿里，消尽了年华，空留下无穷的怨恨，给后世文人诗客写抒哀情提供了素材。

全诗言短意深，发人警醒，含蓄地表达了宫廷女子的幽怨和不幸，令人同情。

文史链接

古代宫廷女子的命运

古代皇帝的后宫中，豢养着很多年轻貌美的女子，但除了皇帝一人，其他人都不得亲近。于是这些女子都盼望着皇帝的宠幸。如果能为皇帝生育子女，她的后半生就有了指望。然而幸运者毕竟是少数，绝大部分妃子的命运比较悲惨，只能是独守空房，任凭红颜老去，在冰冷的宫殿中度过一生。

除了后妃，那些侍候皇帝、后妃的宫女们的命运同样凄惨。晚唐杜牧有一首《宫女》诗："银烛秋光冷画屏，轻罗小扇扑流萤。天阶夜色凉如水，卧看牵牛织女星。"该诗反映了古代宫女的普遍悲剧，表达了诗人对年轻宫女的寂寞、空虚的深切的同情。这是封建社会女子地位低下的表现之一。

思考讨论

王昌龄有一首《长信秋词》："奉帚平明金殿开，且将团扇暂徘徊。玉颜不及寒鸦色，犹带昭阳日影来。"表现了失宠后的妃子的命运。阅读此诗，并结合《后宫词》，理解古代皇宫女子的不幸遭遇。

酬乐天扬州初逢席上见赠[1]

刘禹锡[2]

巴山楚水凄凉地[3]，二十三年弃置身[4]。
怀旧空吟闻笛赋[5]，到乡翻似烂柯人[6]。
沉舟侧畔千帆过[7]，病树前头万木春[8]。
今日听君歌一曲，暂凭杯酒长精神[9]。

注释

[1]酬：答谢，这里指写诗酬谢。乐天：指白居易。见赠：被赠。　[2]刘禹锡(772—842)：字梦得，洛阳人。贞元九年(793)，登进士第，授太子校书。永贞元年(805)，参与王叔文革新活动。宪宗立，被贬连州刺史、朗州司马。官终太子宾客，加检校礼部尚书。

禹锡造诗精绝，与白居易并称“刘白”，与柳宗元并称“刘柳”。

[3] 巴山楚水：指诗人先后谪居的朗州（战国属楚地）、连州、夔（kuí）州（秦汉属巴郡）、和州等地。　[4] 二十三年：刘禹锡从永贞元年（805）被贬，到宝历二年（826）年回洛阳，路上行程近一年，到如今正好是二十三年。弃置身：被朝廷冷落、忽视的人。

[5] 怀旧：怀念旧人。闻笛赋：指晋人向秀为怀念亡友嵇康、吕安而作的《思旧赋》。　[6] 烂柯（kē）人：指王质。《述异记》载，晋人王质入山砍柴，见二童子下棋。观棋结束，发觉手中斧柄已烂。回到家乡，才知已过百年，同辈人皆已亡故。柯，斧柄。

[7] 沉舟：沉没的船。　[8] 万木春：万物生长欣欣向荣。

[9] 凭：凭借。

赏析

当年的“永贞革新”不管结果如何，初衷是好的。一帮新中进士的年轻人，想要改革“安史之乱”以来中唐的政治弊端，以利国家的长治久安。没想到，因触犯权贵利益，纷纷被贬到当时尚未开发的南方。

二十三年后的敬宗宝历二年（826），刘禹锡罢和州刺史回洛阳的途中，在扬州遇到了好友白居易，白居易当年也是因为敢于直言而被贬为九江司马。此时二人头发俱已花白，看到昔日的好友禁不住热泪盈眶。想起了这么多年在穷山恶水的巴蜀、荆楚之地的日子。他说，我怀旧的时候就吟诵一下古人的《闻笛赋》，以解对亲戚朋友的相思。如今回到了家乡，感觉物是人非，变化了不少。但是新事物总是阻挡不住的，人间的正义、道义总是长存的。我们即使不在了，但新的局面总会有人开创，如同那沉舟旁边的万舸争流，病树前头的万木逢春。这些，难道不值得我们这些老

人欣慰吗？言外之意，就是要积极乐观地看待世界万物，这是刘禹锡一贯的精神所在。“沉舟侧畔千帆过，病树前头万木春”也成了一句颇有哲理的名句，鼓舞人们生命不息，奋斗不止。诗人最后说，今日听到乐天又为我唱了一曲，那么我就喝下这杯酒，长长我这衰颓多年的精神吧！其实还是高扬着一种乐观、豪迈的精神，一洗诗句开头的凄凉之意。

全诗虽然写贬谪漂泊之苦，却不显颓唐，而是颇含哲理、耐人寻味，展示了刘禹锡乐观、开朗的性格和坚忍不拔的精神。

文史链接

永贞革新与“二王八司马”

唐顺宗永贞元年（805），他做太子时的旧臣王叔文、王伾（pī）掌握了大权，引用韦执谊为宰相，与柳宗元、刘禹锡等人结成政治上的革新派，展开了以打击宦官势力为主的改革运动。此外还实施了罢宫市和五坊小儿、蠲（juān）免杂税等一系列有利于百姓的措施。但这些措施触犯了当权的宦官和权贵的利益，他们联合起来，迫使顺宗退位。另外，王叔文被赐死，王伾外贬，不久病死。柳宗元、刘禹锡、韩泰、陈谏、韩晔、凌准、程异及韦执谊八人均被贬为外州司马，史称“二王八司马”。

顺宗朝的改革，总体来说是为了打击宦官势力，革除政治积弊，却由于守旧势力的强大，改革未能成功。此后的唐王朝就在各种政治弊病的困扰中，一步步走向了灭亡。

思考讨论

白居易赠刘禹锡的原诗《醉赠刘二十八使君》写道：“为我引

杯添酒饮，与君把箸击盘歌。诗称国手徒为尔，命压人头不奈何。举眼风光长寂寞，满朝官职独蹉跎。亦知合被才名折，二十三年折太多。”阅读此诗，体会它与刘禹锡《酬乐天扬州初逢席上见赠》的感情基调有何不同。

闻　砧[1]

孟　郊[2]

杜鹃声不哀，断猿啼不切[3]。
月下谁家砧，一声肠一绝[4]。
杵声不为客[5]，客闻发自白。
杵声不为衣，欲令游子归。

注释

[1]砧（zhēn）：捣衣石。这里指捣衣声。唐时妇女常常在秋天的傍晚或夜里，拿出藏在箱子中的衣服，用杵敲击，以备换季之用。　[2]孟郊（751—814）：字东野，湖州武康（今浙江德清）人。贞元十四年（798），登进士第。十六年（800），授溧阳尉。后辞官归。元和九年（814），郑余庆出镇兴元，奏为参谋，试大理事，行次阌乡，暴疾卒。郊一生刻意为诗，长于五古、乐府。　[3]断猿：指猿猴的叫声悲切。《搜神记》载，有人得猿子，母猿发现后，紧紧跟随，哀叫着请求释放其子，那人却将小猿杀了。

猿母悲叫而死，剖开腹部一看，母猿的肠子竟然断裂成一寸一寸的了。　[4]绝：断。　[5]杵（chǔ）：捣衣的短木棒。

赏析

中国古诗词里有很多经典的意象。杜鹃声和猿声就是如此，如李白的《早发白帝城》就有“两岸猿声啼不住，轻舟已过万重山”。白居易《琵琶行》更是写道：“其间旦暮闻何物，杜鹃啼血猿哀鸣。”这两种动物的叫声可谓悲切。但诗人却说，杜鹃的啼声不哀痛，猿猴的啼声不悲切，为什么这样说呢？那是因为在诗人的心中还有比这更加让人肠断的声音，那就是砧声——古代妇女捣制寒衣的声音。诗人多年漂泊在外，求取一官半职，却屡屡碰壁，这就更加加深了对家乡及亲人的思念。那杵声本不是为游子敲的，却使作客他乡的游子们听了以后，头发早早白了。那杵声也不是为了赶制衣服，似乎在催着游子早点归来。后四句是诗人多年漂泊在外，对行旅艰辛、思乡情切的极好抒写，感情沉郁，令人动容。

全诗感情动人，将游子的思乡之情通过月下闻砧而形象地表现出来，展现了诗人对家乡、对亲人的思念。

文史链接

抒写母爱的诗人

在重视科举考试的唐代，士人多以中进士为荣，孟郊亦不例外。但其考试并不顺利，连续几次都落榜了。但热心功名的他仍不甘心，直到年近五十的时候，仍一次次赴长安赶考，有时一走就是几年。

孟郊的母亲很支持儿子的想法，她知道儿子常年在外，经常为儿子连夜赶制寒衣。有一次，孟郊看到灯下头发花白的老母正在连夜赶制寒衣，禁不住热泪盈眶，于是写下了那首著名的《游子吟》:“慈母手中线，游子身上衣。临行密密缝，意恐迟迟归。谁言寸草心，报得三春晖。”这是从心底发出的对母爱的深情歌颂，这首诗现在仍被经常提及和引用。

思考讨论

唐代大诗人李白在《子夜吴歌》诗中写道 :“长安一片月，万户捣衣声。秋风吹不尽，总是玉关情。何日平胡虏，良人罢远征。”结合此诗，理解古人诗中捣衣意象的运用。

零陵早春[1]

柳宗元[2]

问春从此去，
几日到秦原[3]。
凭寄还乡梦[4]，
殷勤入故园。

注释

[1]零陵：永州治所。其时柳宗元被贬为永州司马。

[2] 柳宗元（773—819）：字子厚，河东（今山西永济）人。贞元九年（793）登进士第。十四年（798），登博学鸿词科，授集贤正字，调蓝田尉。因参与王叔文改革，宪宗即位后被贬为永州司马。元和十年（815）召还，复出为柳州刺史。卒于柳州。与刘禹锡齐名，世称“刘柳”；又与韩愈同为古文运动倡导者，世称“韩柳”。

[3] 秦原：关中平原。这里指长安。　　[4] 凭寄：凭借寄往。

赏析

被贬官到南方，对柳宗元来说，是很沉重的打击。一是精神上的，他本来是有一番建功立业的志向的，参加“永贞革新”就显出了柳宗元的政治志向；二是生活上的，他祖籍河东（今山西运城），自小生活在长安。南方的阴冷潮湿，对他来说，是痛苦难熬的。故思家之念、思亲之想更甚。

春天是万物复苏的季节，南方的春天更来得早一些。于是诗人想到了家乡的春天何时来到。诗人想象着那春天一定是从南到北，逐渐给大地带来了生机，于是向春风发问：“几时能到我的家乡秦川大地呢？”看似无理，实则表现了诗人思乡之切。因为春风比人更自由，所以诗人接着想象，如果春风到了秦原，那就把我的还乡梦也带过去吧，让我再看看熟悉的家乡、思念的亲人。诗人把无情之春风当做有情之信使，实际上是表现了思乡的深挚之情。

全诗寥寥二十字，文字亦浅显通俗，却饱含深情，感人至深，这正是这首五绝取得成功的原因。

文史链接

被贬失意的柳宗元

柳宗元自小聪慧，他有很高的政治理想。他和王叔文等人一起辅佐顺宗继位，想通过改革消除困扰国家的一些政治弊病。但由于触犯了权贵的利益，这些年轻的改革家都遭到贬谪的命运，这就是“二王八司马”事件。

宪宗元和元年（806），柳宗元被贬到永州（今属湖南），任司马。他带着六十七岁的老母及弟弟一起离开了长安。到永州后，由于水土不服，不到半年，老母亲就去世了，他感到生活更加孤单。为了消解思乡之苦，他经常出城游览，写下了著名的《永州八记》，成为古代散文史上的佳制。同时，他也目睹了百姓的艰苦生活，写了一篇《捕蛇者说》，对政府的横征暴敛致使百姓民不聊生予以揭露。

思考讨论

柳宗元有一首《与浩初上人同看山寄京华亲故》，诗云：“海畔尖山似剑芒，秋来处处割愁肠。若为化得身千亿，散上峰头望故乡。”仔细阅读这首诗，结合《零陵早春》，体味诗人深刻的思乡之情。

从军北征

李 益[1]

天山雪后海风寒[2]，横笛偏吹《行路难》[3]。

碛里征人三十万[4]，一时回首月中看。

注释

[1]李益（749—827）：字君虞，陕西姑臧（今甘肃武威）人。大历四年（769）中进士，任郑县尉。后弃官去，游历燕赵之间。幽州节度使刘济辟为从事，后又参佐邠宁幕。官至礼部尚书。由于亲身体验过边塞生活，故李益的边塞诗写得壮阔悲凉，不同凡响。 [2]海风：这里指沙漠中的风。 [3]《行路难》：笛曲名，主要是描写行旅之人的艰辛。 [4]碛（qì）里：指沙漠里。

赏析

李益的七绝诗，有人说可与王昌龄比肩。这首《从军北征》是李益诸多的边塞诗作之一，诗人曾有过在幽燕节度使幕府做幕友的经历，故对戍边军人的思想感情有一定的了解，能写出这样感人肺腑的诗句。

天山高耸入云，即使无雪也清冷无比，何况是雪后的天山。“海”指“瀚海”，即沙漠。沙漠来风时，茫茫一片，数米之内不能辨物。这句写出边塞环境的恶劣。就在这时，有人吹起了《行路难》这首曲子，行路难，路何在？这无疑使人更加惆怅。这里征戍之士有三十万之多，他们听到这个曲子，都举头向月中望去。望什么呢？当然是他们思念家乡、思念亲人的自然流露。一个人望月思乡，是孤寂、凄凉；三十万人同时回首，望向月中，又是何等大气、悲壮！后两句生动地表现了广大士兵们厌战和思乡之情，却又不显颓唐、消沉，而是自有一种深厚的感情在内，显得慷慨悲凉，这就是唐诗之美。

全诗气势恢弘，大气磅礴，情景交融，却又感情深厚、沉着，有盛唐边塞诗的风味。

文史链接

中唐的边塞诗

安史之乱的爆发，使得唐朝中央政府调动大量边兵进入内地平叛，给边境少数民族政权以可乘之机，吐蕃、回纥等政权趁机侵扰内地。吐蕃甚至一度攻陷长安，这是安史之乱后长安的第二次失陷。

安史之乱平息后，虽然疆土日益缩小，少数民族政权占据了不少边境之地，但朝廷的边塞守备又一次得到了重视，诗歌中的边塞诗也焕发了第二次生命。中唐的边塞诗较之盛唐，显得内敛含蓄、低沉婉转，少了一些盛唐的大气和外向，多了一些中唐的理性和苍凉。另外，从体裁上看，更多表现为律诗和绝句，纵横豪放的歌行体明显减少。这当是时代精神在诗歌中的体现。

思考讨论

除了这首《从军北征》，李益还写过一首著名的边塞诗《夜上受降城闻笛》:“回乐烽（一作‘峰’）前沙似雪，受降城外月如霜。不知何处吹芦管，一夜征人尽望乡。”结合《从军北征》，理解两首诗共同表现的征人思乡之情。

野老歌[1]

张　籍[2]

老农家贫在山住，耕种山田三四亩[3]。
苗疏税多不得食，输入官仓化为土[4]。
岁暮锄犁傍空室，呼儿登山收橡实[5]。
西江贾客珠百斛[6]，船中养犬长食肉。

注释

[1] 野老：在野外居住的老农。　[2] 张籍（766—830）：字文昌，和州乌江人。贞元十五年（799）登进士第。元和元年（806），调补太常寺太祝。十一年（816）转国子助教。官终国子司业。籍工诗，尤长乐府古风，甚为时辈所重，与王建齐名，称“张王乐府”。　[3] 山田：山地上的梯田，土质比较贫瘠。　[4] 官仓：官府收藏粮食用的仓库。　[5] 橡实：又名橡栗，就是栎树上所结的果实。球形，大如拇指，仁形如莲子，味涩，可充饥。
[6] 西江：指今江西九江一带。唐时属江南西道，故称西江。这里在当时为商业繁盛的地区。百斛：这里形容珍珠的数量多。斛，量器名，古代以十斗为一斛。

赏析

安史之乱后的社会现实，打破了唐代诗人壮丽的人生理想。于是诗人不再单单关注自我，从杜甫开始，诗歌中就多描写动乱中的百姓生活，到了中唐，诗人更多将笔触转向了下层劳动人民，以引起统治者注意，更多关心民生疾苦，以维持国家的长治久安。这首《野老歌》就是其中的一首杰作。

全诗以第一人称自述的口吻写出了一位住在深山的老农的贫穷生活。他种着几亩薄田，辛勤耕种一年，也打不下几颗粮食，但即使如此，官府的赋税依旧不放过这贫困的一家，粮食最后被官府收缴去，而在官府堆积如山的仓库里，那些粮食因为吃不完，很快化为灰土。但老农一家呢？到了岁暮的时候，看着空空如也的房子，只能叫上儿子去山中采集橡实充饥。诗歌的末尾，诗人还不忘拿西江的商人与农民的艰辛生活作一对比。那西江的珠宝商人腰缠万贯，养的狗都是食肉的，人却没有粮食吃。这真的是残酷的社会现实呀！农业是国家之本，如果农民生活得不到保障，国家的稳定性就值得担忧了。

全诗语言平实，但感情沉痛，用鲜明的对比手法揭示了社会的不公，发人深省。

文史链接

新乐府运动

上古的时候，国家专门设立采诗官，统治者认为，民间诗歌可以反映百姓的生活疾苦。到了汉代，专门设立乐府这个音乐机构，也设立采诗官，以便倾听百姓的声音。这是上古时代政治文明的一种表现。

到了唐代，乐府机构虽不再设立，但真正伟大的诗人仍旧关心着普通百姓的生活，尤其是面对中唐惨淡的社会现实，国家赋税的日益加重，百姓饥寒交迫、生活困难。关心民生疾苦的诗人们发动了“新乐府运动”，主要是用诗歌来反映现实，描写民生疾苦，以引起上层统治者的关注，减少民脂民膏的盘剥。其中杰出的代表就是白居易、元稹、张籍、王建，他们或以乐府旧题，或自创新题，写出了一系列与百姓生活密切相关的新乐府诗。

思考讨论

安史之乱前夕，杜甫从京城到奉先县省亲，看到唐玄宗、杨贵妃及权贵大臣们在骊山上日日饮酒取乐，而沿途却是缺衣少食的老百姓，于是写下了《自京赴奉先县咏怀五百字》，其中有著名的两句“朱门酒肉臭，路有冻死骨”。结合张籍《野老歌》，体会古代诗人忧国忧民的情怀。

十五夜望月[1]

王　建[2]

中庭地白树栖鸦[3]，
冷露无声湿桂花。
今夜月明人尽望，
不知秋思落谁家[4]？

注释

[1] 十五夜：指农历八月十五，中国传统的中秋节。

[2] 王建（766—？）：字仲初，颍川人。贞元后期，先后入幽州幕和岭南幕为从事。太和二年（828）自太常丞出为陕州司马。后卜

居咸阳原上。王建与张籍皆擅长乐府，世称“张王乐府”。

[3]中庭：即庭中。地白：月亮照在庭园中，像霜一样。　[4]秋思：中秋节对亲人、朋友的相思。

赏析

中秋节是中华民族的传统节日，是仅次于春节的第二大节日，故人们对其重视程度之高可以想见。中唐诗人王建的这首《十五夜望月》，因其画面美、意境美、音乐美而成为中秋诗里的名作，传唱不休。

起句写出十五夜月光皎洁，仿佛给庭院铺上了一层白霜，这是李白《静夜思》“床前明月光，疑是地上霜”之诗意的直接描写。月色如霜，乌鸦归巢，已是夜深。诗人中庭独立，看到中秋夜的清露打湿了桂花。所谓“八月桂花香”，这“桂花”亦是秋天特有的植物。前两句静谧、安详、优美，却无形之中显出一丝淡淡之哀伤。这么美好的夜晚、美好的风景，谁人与我共赏？果然，诗人结句道出了游子对家乡的思念。在这月光皎洁之夜，人人都会望月怀远，思念亲人。但诗人将这思念写成了有形可感的东西，如同那一片皎洁的月光一样，洒落人间，让人人都染上了思念。一个“落”字，将无形的思念化为有形，形象不落俗套，极耐人寻味。

全诗形象动人，意境优美，写秋思本是古诗中常见的笔法，本诗独具匠心，可谓是中秋诗中难得的佳作，故千百年来传诵不绝。

文史链接

中秋节

古代诗词中写“望月”的很多，如王建的“今夜月明人尽望，

不知秋思落谁家”，苏东坡的“人有悲欢离合，月有阴晴圆缺”等。月明之夜往往是思乡之夜，尤其是传统的中秋节，更是文人歌颂的对象。我国古代历法将一年分为四季，每季三个月，分别称孟月、仲月、季月。因此秋季的第二个月也叫仲秋，又因农历八月十五日在八月中旬，故称“中秋”。

到唐朝初年，中秋节正式固定为节日。到宋代，形成了以赏月活动为中心的民俗节日，中秋节之夜成为不眠之夜，夜市通宵营业，赏月的游人达旦不绝。文人雅士们更是在诗词中表现了对亲人、友人的思念，显示了我国自古以来重视亲情、友情的优良传统。

思考讨论

“床前明月光，疑是地上霜。举头望明月，低头思故乡。”李白的《静夜思》每个中国人都会诵读，结合王建的《十五夜望月》，体会古人望月怀远的感情。

梦　天

李　贺[1]

老兔寒蟾泣天色[2]，云楼半开壁斜白[3]。
玉轮轧露湿团光[4]，鸾珮相逢桂香陌[5]。
黄尘清水三山下[6]，更变千年如走马[7]。
遥望齐州九点烟[8]，一泓海水杯中泻[9]。

注释

[1]李贺（790—816）：字长吉，陇西成纪人，居于福昌昌谷。少有诗名，元和初，游江南，后至东都，以诗谒韩愈，大得赏誉。以父讳，不得应进士举。郁郁而归。贺长于乐府，人称“长吉体”。 [2]老兔寒蟾（chán）：传说月亮中有玉兔与蟾蜍。泣天色：形容月色如水，好像玉兔和蟾蜍泣泪而成。 [3]云楼：云霞掩映的月宫层楼。壁斜白：月光斜照在月宫的墙壁上。[4]玉轮：形容月亮圆满。轧（yà）露：碾压露水。团光：即月晕，月轮外面罩的一层水汽。这句意思是说月亮外面罩着圆圆的水汽，仿佛是月轮碾压露水而形成的。 [5]鸾珮（pèi）：雕有鸾凤的玉珮，这里指嫦娥。桂香陌：桂树飘香的路上。 [6]黄尘：指地面。清水：指海洋。三山：神话传说中蓬莱、方丈、瀛洲三座海上神山。 [7]更变：更替变化。走马：像马奔跑一样快。形容时间的流逝。 [8]齐州：中州，指中国。九点烟：九点烟尘，指中国的九州之地。 [9]一泓：一汪。泻：倾泻，倒出。

赏析

中唐诗歌现实色彩更强了一些，尤其是以元稹、白居易为首的新乐府运动，将诗歌推向了现实主义的高潮。然而李贺是例外，这位唐诸王孙以其丰富的想象和短暂的生命，为中唐诗歌园地献上了一朵奇葩。

诗名题为“梦天”，说明是在梦里所作，其中奇幻的想象可与前辈诗人李白相比。诗人恍惚间来到了月宫之中，这里月色如水，像是那玉兔和寒蟾流下的眼泪；云雾缭绕中，月宫重楼打开了，月光照在墙壁上，一片光明。月亮如车轮一样，碾压过那玉露，罩上了一层水汽。这些描写是诗人在梦境中所看到的，真是瑰丽

奇特，炫人耳目，但诗人进一步写下去。他说，就在这月光如水的天宫，在桂树飘香的天路上，碰到了美丽的嫦娥仙子。真是奇幻而又美丽的想象。既然是世俗之人，当然还不忘看看尘世。于是诗人接着写站在天宫上，向下俯视的景象：只感觉那天上短短的一刹那，人间却已经历了沧海桑田的变化。而那所谓的九州大地，也不过是九点烟尘而已。那浩渺无垠的大海，也只不过是一汪水倾泻而成的，并没什么大不了。

全诗想象丰富奇特，色彩瑰丽，并结合夸张、比喻等手法，营造了一个似非人间的奇境。该诗是典型的“长吉体”。

文史链接

月宫的传说

古代神话传说，射日英雄后羿的妻子嫦娥偷吃了后羿取回来的仙药，一个人升上了天宫，就是后来说的“广寒宫”，成了神仙。这里陪伴她的只有一只玉兔，还有一棵桂树。这棵桂树高五百丈，有一个叫吴刚的人，因为学道不成而被贬到月亮上砍伐桂树。但月桂随砍随合，故吴刚只能无休止地砍伐下去。

因为月亮常给人凄清冷静的感受，故居住在月宫的嫦娥在诗人笔下也被写成一个受人同情的对象。晚唐诗人李商隐的《嫦娥》一诗就写道：“云母屏风烛影深，长河渐落晓星沉。嫦娥应悔偷灵药，碧海青天夜夜心。”表现了诗人对嫦娥孤居一处，不能享受人间的天伦之乐的同情。他想，那嫦娥一定是后悔偷吃了仙药，望着碧海青天，夜夜伤心，再也不能与自已心爱的丈夫团聚。

思考讨论

李白的《梦留天姥吟留别》亦是想象奇特之作，其中写道："洞天石扉，訇然中开。青冥浩荡不见底，日月照耀金银台。霓为衣兮风为马，云之君兮纷纷而来下。虎鼓瑟兮鸾回车，仙之人兮列如麻。"结合《梦天》，体会诗中奇特的想象及其作用。

致酒行

李　贺

零落栖迟一杯酒[1]，主人奉觞客长寿[2]。
主父西游困不归[3]，家人折断门前柳[4]。
吾闻马周昔作新丰客[5]，天荒地老无人识[6]。
空将笺上两行书[7]，直犯龙颜请恩泽[8]。
我有迷魂招不得[9]，雄鸡一声天下白。
少年心事当拏云[10]，谁念幽寒坐呜呃[11]。

注释

[1]栖迟：淹留落魄。　[2]奉觞(shāng)：捧起酒杯敬酒。奉，通"捧"。客长寿：祝客人长寿。　[3]主父：指西汉名臣主父

偃，他早岁家贫，到长安谋求进取，资用匮乏，淹留日久。后向武帝上书献策，遂得朝廷重用。西游：指西入长安。 [4] 折断：折尽。 [5] 马周：唐太宗时人，年轻时屡受地方官轻辱。后入长安，途经新丰旅舍，店主殷勤招待诸商贩，而不理他。至长安，寄居中郎将常何家，代常何上书太宗，被皇帝发现，得到重用。 [6] 天荒地老：形容时间长久。 [7] 笺（jiān）上：奏本上。 [8] 龙颜：指皇帝。请恩泽：请求皇帝给予恩惠。 [9] 迷魂：迷惘失落的灵魂。招不得：招不回来。 [10] 拏（ná）云：意谓凌云壮志。拏，同“拿”。 [11] 幽寒：幽清寒苦，比喻处境穷困。呜呃（è）：悲叹。

赏析

李贺号称“诗鬼”，他的诗，尤其是歌行体诗，总是腾挪翻转、变化莫测，给人一种捉摸不透的感觉。这首《致酒行》就是如此，全诗写得洒落有致，不落俗套，读来有一种凌云之感。

诗歌开篇道出了自己的不得意，零落萧条，落魄不堪，请主人莫要嫌弃，饮了这杯薄酒，主人则反过来给客人献上美好的祝福。接下来，主人用昔日贤臣的遭遇来给李贺鼓劲，他说：从远的时间看，那西汉的名臣主父偃，起初的时候不也是郁郁不得志？家人盼归，连门前的柳树都快折断了，但他还是没有音讯。从近的例子看，那本朝的马周，昔日也不过是新丰客店受冷落的一介布衣，天下无人认识他，却凭借给皇帝写的几本奏折，便赢得了太宗皇帝的青睐，平步青云。这里是通过写先贤的遭遇来鼓舞诗人不要失落，要相信迟早有一天会像他们一样实现抱负，有一番作为。二至四联虽用典故，写来却丝毫不板滞，而是变化有致，声调顿挫。接着写诗人听到主人的劝慰后，感觉心思惘然，一时不知如何是好。突然间听到一声雄鸡的叫声，顿时有所警醒。感觉应该振作了，于是最后一语斩钉截铁地写道："少年心事当拏云，谁念幽寒坐呜呃。""我"不能再在悲叹声中无所事事了，而应当用"我"的少年心性，立下凌云壮志。这是李贺年轻气盛在诗句中的表现。

全诗采用歌行体的方式，句式长短不齐，行文洒脱磊落，读来顿挫有致，是典型的长吉体风格。

文史链接

李贺的天才与不幸

李贺是中唐著名诗人，他只活了短短的二十七年，却是中唐最著名的诗人之一。他作诗呕心沥血、费尽心思，母亲说"是儿要当呕出心乃已"，意思是"这孩子要把心呕出来才肯罢休啊"。当时著名的诗人韩愈和皇甫湜听说了李贺的声名，二人爱才心切，亲自登门拜访。李贺并没有因为朝廷的官员到了家里而感到惶恐不安，而是镇定自若地为他们作了一首《高轩过》诗，以感激二人的赏识。韩愈和皇甫湜读毕，大为吃惊，认为此子前途不可限量。

当时最佳的入仕途径是参加进士考试。李贺父亲名晋肃，当时的一些人便说李贺不宜参加考试，因为"晋"与"进"避讳。为此，韩愈专门写了一篇《讳辨》的文章，对不合理的"避讳"制度进行了抨击。尽管如此，李贺还是未能参加进士科考试。朝廷后来给了他一个奉礼郎的小官，他干了几年，便辞官回家了。

思考讨论

结合《致酒行》，理解李贺的进取之心。

第五章　余韵别唱——晚唐诗

咸阳城东楼[1]

许　浑[2]

一上高城万里愁，蒹葭杨柳似汀洲[3]。
溪云初起日沉阁[4]，山雨欲来风满楼。
鸟下绿芜秦苑夕[5]，蝉鸣黄叶汉宫秋。
行人莫问当年事，故国东来渭水流[6]。

注释

[1]咸阳：秦朝都城，在唐代隔渭河与长安相望，旧址在今陕西咸阳市东。　[2]许浑（?—858）：字用晦，润州丹阳（今属江苏镇江）人。太和六年（832），登进士第。开成（836—840）中，任当涂尉。后佐岭南幕。官终睦、郢二州刺史。浑工诗，尤长律体。　[3]蒹葭（jiān jiā）：芦苇。汀洲：水中小岛。　[4]日沉阁：夕阳隐没于慈福寺阁之后。（作者自注：南近磻溪，西对慈福寺阁）　[5]绿芜：绿草丛生的样子。秦苑：秦国的宫殿。[6]故国：指秦汉等旧的王朝。渭水：发源于甘肃省渭源县的鸟鼠山，由陕西省潼关汇入黄河。

赏析

古人有登高赋诗的传统，这是因为登上高处可以看得更远，也可以看到更多，令人油然产生怀古缅今的感慨。然而诗人独自登上咸阳城楼，却有了无限的惆怅，为什么呢？原来那苍苍的芦苇、萧萧的杨柳竟然和诗人故乡的水中小岛如此相似，顿时让人更加思念家乡。这个时候，只见那溪边的黑云越来越浓，布满了天空，太阳则渐渐落了下去。这是大雨即将到来的征兆，故诗人点题道“山雨欲来风满楼”。该句是一名句，联系诗人所处的晚唐时代，后世很多人将其阐释为诗人是为大唐的前途和命运而担忧，是诗人对中晚唐藩镇割据、宦官专权等政治危机的警示之语。其实完全不用拘泥，这句诗的好处是可以让人联想到政治局势，也可以联想到人生的险境，局势的不利。这正是诗歌感动兴发的好处。

第三联依然是写景。鸟儿归巢，回到了那曾经作为秦苑的地方，但秦人何在？蝉声呜咽，栖息在那快要凋零的汉宫的树木上，但汉人何在？中间两联将黄昏之凄凉、秋景之萧瑟，用工稳的对仗表现出来。这就奠定了全诗衰飒凄凉的基调。要知道咸阳曾经是威赫一时的秦王朝的都城，这里产生了中国历史上第一个统一的封建王朝；那汉朝更是辉煌，是我国封建历史上第一个持续了数百年的王朝。但这秦宫汉苑如今俱已不存。“秦苑夕”、“汉宫秋”饱含了诗人无限的历史兴亡感慨。结尾，诗人用行人的问话作结，渭水长流，故国何在？这无疑是值得人回味和警醒的。

全诗属对精切，声律谐婉，饱含哲理，感时怀古之意表现得沉痛而含蓄，可谓是晚唐的一记警钟。

文史链接

中晚唐三大祸

一般谈到中晚唐的兴衰，都归结为三大原因：宦官专权、藩镇割据和朋党之争。这是中晚唐困扰国家的难题，最终导致了唐朝的灭亡。

宦官专权，是从肃宗朝开始，宦官李辅国因拥立有功，权倾一时，这是宦官专权之始。藩镇割据，缘于“安史之乱”。当时朝廷急功近利，为了早日平叛，采取拉拢、瓦解手段，将跟随安禄山、史思明的叛将逐一招抚，仍给原官，令其驻守在河北、河南的叛军老巢之地，这就为他们拥兵一方，不受朝廷调遣埋下了伏笔。朋党之争，主要是指“牛李党争”。进士出身的牛僧孺和士族出身的李德裕形成了两派，各自拉帮结党，议政时互相抨击，使得皇帝也非常为难。唐文宗李昂曾经感慨地说：“去河北贼（指藩镇）易，去朝廷朋党难。”

思考讨论

中唐李贺有一首《雁门太守行》，其中两句是：“黑云压城城欲摧，甲光向日金鳞开。”分析其与“山雨欲来风满楼”一句的相似作用。

天 涯

李商隐[1]

春日在天涯，天涯日又斜。

莺啼如有泪[2]，为湿最高花。

注释

[1]李商隐（813—858）：字义山，号玉溪生，怀州河内（今属河南省）人。开成二年（837）登进士第。后入泾原节度使王茂源幕。开成四午（839），授校书郎，调弘农尉。李商隐工骈文及近体诗，尤长七律，与杜牧齐名，人称“小李杜”。又与温庭筠齐名，人称“温李”。其诗构思新巧，属对精切，对后世影响很大。

[2]莺啼：黄莺的啼叫声。

赏析

这首短诗是作者流寓他乡之作，他究竟在伤感什么，似乎没有说，但读来有一种真情在内，这是义山诗的好处，总是在朦胧之间，给人以审美愉悦。

作者起笔写到春日独居的日子，春天是万物复苏的美好季节，但在这样美好的日子里，诗人却身在天涯，眼望着那一轮红日又落下来了，就这样，大好的时光流走了。诗人对这一切都感到无比地伤心难过，听到莺叫声后，他想象着这莺啼声如有泪，将会沾湿那处在最高处的花朵。

全诗灵动、含蓄，却又含着无限情意，这是义山诗深于情的表现。

文史链接

李商隐的忧郁气质

李商隐虽然自称是李唐宗室，但到他这一辈，家境已经相当清贫，并且他幼年丧父，悲剧性的家世出身对其优柔内向、多愁善感的个性气质的形成，当有不小的影响。

从个人经历看，他一生夹在党争中间，无法施展其抱负，故仕途上的坎坷也是造成他性格敏感、细腻的原因。此外，他的结发妻子王氏与他感情甚好，本来是他痛苦中的极好安慰，却不料早早去世，这无疑对他又是一个打击。种种原因造成了他性格忧郁多情、敏感细腻的特征，表现在诗中，就是那些抒情隐晦，读来却又字字是情、声声是血的诗句。

思考讨论

杜甫困于安史叛军的时候，写过一首《春望》，其中有两句道："感时花溅泪，恨别鸟惊心。"结合李商隐《天涯》一诗，体会诗人将自然物象人格化的作用。

暮秋独游曲江[1]

李商隐

荷叶生时春恨生，荷叶枯时秋恨成。

深知身在情长在，怅望江头江水声[2]。

注释

[1]曲江：唐代著名的游玩胜地，是皇家、权贵和普通百姓经常去的地方。　[2]怅望：惆怅地凝望。

赏析

一个诗人如果不多情，一定成不了好诗人。晚唐随着时代风云的变化，诗歌中气象、格局均狭窄了许多，多注重内心情感的抒发，使唐诗呈现出另外一种面貌。而李商隐的诗就是晚唐诗的最好代表。

起句直入，将个人的感情与荷花的生长、开花、凋零、枯萎联系在一起。初夏的时候，荷叶亭亭如盖，翠绿欲滴，本是让人欣喜的时候，但多情的诗人已经有一丝隐忧，他明白，这个时候已经埋下了遗憾的种子。到了秋季，荷叶开始枯萎，遗憾、惆怅之情终于生成了。诗人巧妙地将情意的消长与荷花的荣枯结合在一起，给人耳目一新之感。结尾两句是议论，却也不脱荷花的生长环境，"身在情长在"是人之常情，诗人写道"我"本来就知道这一点，只能惆怅地看着那一江秋水和凋零的荷花。

这首诗比喻新颖，造语奇特，将诗人的多情深婉、细腻敏感很好地表现出来，可以作为义山善于抒情的又一注脚。

文史链接

深于情者的李商隐

李商隐与杜牧一起，在晚唐被称为"小李杜"，而李商隐尤其杰出，可称为晚唐最杰出的诗人。李商隐少时，曾作有《燕台》诗，被旁邻的女子柳枝听到，很是欣赏他的才华，但因为某种原因，二人分开了。后来李商隐听说柳枝做了一个地方官的姬妾，不禁心生伤感，作了五首《柳枝诗》以怀念曾经相爱的女子。

开成三年（838）春，李商隐与泾原节度使王茂元的女儿成婚。他与妻子王氏很恩爱。有一次他在外地任职，看到蜀中大雨滂沱，禁不住思念起远方的妻子，写下了著名的《夜雨寄北》："君问归期未有期，巴山夜雨涨秋池。何当共剪西窗烛，却话巴山夜雨时。"全诗语言朴实，表达了对妻子由衷的思念和深挚的感情。

思考讨论

李商隐有一首著名的《无题》诗，其中说："此情可待成追忆，只是当时已惘然。"表达了对当时情感的怀念。结合此诗，理解义山诗"身在情长在"的特点。

安定城楼[1]

李商隐

迢递高城百尺楼[2]，绿杨枝外尽汀洲[3]。
贾生年少虚垂涕[4]，王粲春来更远游[5]。
永忆江湖归白发，欲回天地入扁舟[6]。
不知腐鼠成滋味，猜意鹓雏竟未休[7]。

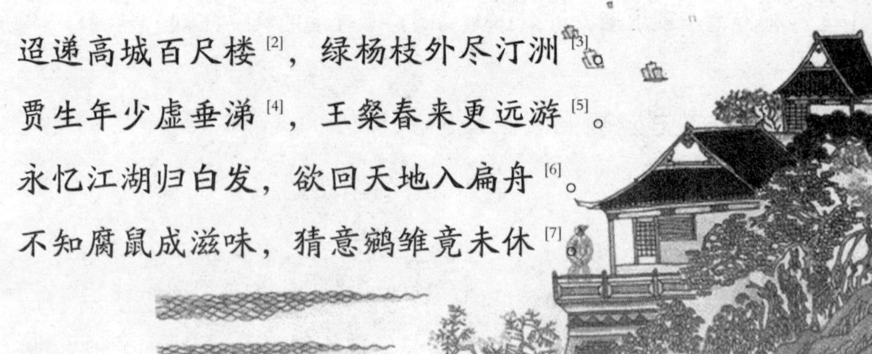

注释

[1]安定：即泾州（治所在今甘肃泾川县北），唐泾原节度府所在地。 [2]迢递：高峻貌。 [3]汀（tīng）洲：水边平地。 [4]贾生：指东汉著名文学家、政论家贾谊。他曾经上《陈政事疏》："臣窃惟事势，可为痛哭者一，可为流涕者二，可为长太息者六。"未被文帝采纳。 [5]王粲（càn）：东汉著名文学家。因避东汉末年战乱，流寓荆州。曾作《登楼赋》，抒写去国怀乡、忧时伤乱之情。 [6]入扁舟：用春秋时范蠡帮助越王勾践灭吴后，乘小船泛五湖归隐的典故。 [7]"不知"二句：《庄子·秋水》载，南方有鸟名鹓（yuān）雏，品性高洁，非梧桐不止，非练食不食，非醴泉不饮。鸱鸟（即猫头鹰）得到了一只死老鼠，生怕鹓雏来抢。而实际上，鹓雏是看都不会看一眼的。这里李商隐比喻那些当权的人，只是沽名钓誉、尸位素餐之徒，以为义山也和他们一样，而对义山百般打击，猜疑迫害。

赏析

全诗通过登楼抒志，表达了自己一生行事处世的原则，以及自己不被统治者理解而痛苦无奈的心情。

初春的日子里，诗人登上了那座高峻的安定城楼，放眼四望，绿杨依依，绿树之外汀洲连属。诗人不由地想起，当年的贾谊也曾经为自己的才能得不到施展而垂涕不已，感伤自己的不遇；王粲为了避祸，远游荆楚之地，倍感神伤。千百年来，自己与这些才士的遭遇是多么相似！

第三联是全诗的"诗眼"。"我"始终惦记着回到江湖去，做一个渔翁，哪怕在鬓发苍苍之际；但同时，心中又怀着一颗挽回天地之心，欲拯救这沉沦的晚唐国势。二、三两联表达了诗人的

用世之志和归隐之心，展示了青年时期诗人的阔远胸襟和不凡抱负。但那些朝中大官僚们却以为我是有所私心，正如那只得到一只死老鼠的鸱鸟一样，以为鹓雏鸟和它们一样，为一只死老鼠而竞争不已。这是诗人心迹的表露，也是对自己屡被贬谪、沉沦下僚之命运的无声控诉。

全诗对仗工稳，隐含了诗人的一腔志意，高逸超群，但写得含蓄不露，显示了诗人娴熟的律诗技巧和高洁的人格操守。

文史链接

晚唐党争与李商隐的尴尬处境

李商隐一生都怀有一颗建功立业的雄心。作为唐王朝的远房宗室，他一直关心国家的命运。尤其是他看到晚唐社会的动荡、百姓的流离，忧国之念更甚。

他早年受知于令狐楚，中进士后，又成了泾原节度使王茂元的女婿。而令狐楚和王茂元分属晚唐党争中的“牛党”和“李党”。牛党的人认为他背信弃义，品行不端；李党的人认为他曾经投靠牛党，也不予理睬。这就使得他一生夹在牛李党争的缝隙间生存，沉沦下僚，郁郁不得志。

他曾经多次入地方官的幕府做书记，但就是无法进入朝廷真正实施自己的抱负，而晚唐国势的日渐衰微也让李商隐苦闷无奈。他的《登乐游原》写道：“向晚意不适，驱车登古原。夕阳无限好，只是近黄昏。”这是对唐王朝走向衰亡的最好预言。

思考讨论

李商隐对西汉贾谊的同情在《贾生》一首诗中体现得更为明显：

"宣室求贤访逐臣，贾生才调更无伦。可怜夜半虚前席，不问苍生问鬼神。"阅读此诗，进一步理解诗人对贾谊不幸遭遇的同情。

华清宫[1]

杜 牧[2]

零叶翻红万树霜，玉莲开蕊暖泉香。
行云不下朝元阁[3]，一曲《淋铃》泪数行[4]。

注释

[1]华清宫：在今陕西临潼城南骊山上。天宝年间，唐玄宗、杨贵妃常来此地游玩。 [2]杜牧（803—852）：字牧之，号樊川居士，京壮万年（今陕西西安）人。工诗、赋及古文，尤长七律和绝句，与李商隐齐名，人称"小李杜"。其诗风骨气豪宕、风流华丽。 [3]行云：宋玉《高唐赋》描写了楚王与巫山神女的相会，神女说"妾朝为行云，暮为行雨"。这里指杨贵妃。朝元阁：骊山的宫殿名。 [4]《淋铃》：即《雨淋铃》，是唐玄宗在蜀地的时候，为怀念杨贵妃而作的曲子。

赏析

唐明皇与杨贵妃的爱情故事成为文学作品的典型意象，这在唐代已经开始。杜牧就写过五首关于华清宫的诗。这首《华清宫》通过对物是人非的描述，表现了唐玄宗对杨贵妃的深情。

前两句写华清宫所处的环境，那万树红叶的美景、那莲花盛开的芬芳，都让人觉得此地美不胜收，这也是大唐皇帝和贵妃钟情于此，数次巡游的原因。但物是人非，当年华清宫的盛况再不复现了。而那风姿绰约的杨贵妃也是再也不会来到这儿了，一代美艳娇妃，就这样香消玉殒了。如今，只剩下这冷冷清清的朝元阁耸立着，让人不禁睹物思人。而那多情的玄宗皇帝亲自谱写出的《雨淋铃》曲,一旦演奏,他总是泪落如雨。末尾两句将昔盛今衰、伊人不再的感伤和皇帝的多情都蕴涵其中，意味无穷。

全诗伤今怀古，将帝王的爱情、盛衰的感慨写得缠绵悱恻，含蓄委婉，发人深省。

文史链接

《雨霖铃》曲的由来

公元 755 年，安史之乱爆发。叛军一路势如破竹，攻陷了潼关。长安眼看保不住了，唐玄宗携带宠爱的杨贵妃、部分皇子及大臣们逃出长安，向蜀中避乱。到了马嵬坡的时候，手下的兵士们发动变乱，他们杀了奸相杨国忠，并要求唐玄宗将杨贵妃赐死。唐玄宗无奈，只得命高力士将杨贵妃缢死。

虽然无奈赐死了贵妃，但多年的感情使玄宗时刻会想起她的音容笑貌。一行人到了斜谷的时候，霖雨不止，这时玄宗又听到了马车的铃声。他更加怀念杨贵妃了。于是精通音律的唐玄宗作了一首曲子，以此来怀念心爱的妃子，并命当时随从的乐工张野狐用筚篥演奏，后来流传于世，这就是《雨淋铃》曲，也写作《雨霖铃》。

思考讨论

除了这首《华清宫》诗外，杜牧还写过一首著名的《过华清宫》诗："长安回望绣成堆，山顶千门次第开。一骑红尘妃子笑，无人知是荔枝来。"相传杨贵妃喜欢吃荔枝，于是唐明皇命岭南地区日夜兼程向朝廷进贡荔枝，累死无数匹马。故这首诗明显有讥刺之意。仔细阅读，体味两诗的不同之处。

怀吴中冯秀才[1]

杜 牧

长洲苑外草萧萧[2]，却算游程岁月遥[3]。

唯有别时今不忘，暮烟秋雨过枫桥[4]。

注释

[1]吴中：今江苏苏州，春秋时为吴国国都，故称吴中。冯秀才：姓冯的读书人，名不详。唐代称应进士试的读书人为秀才。[2]长洲苑：地名，在江苏苏州太湖北。萧萧：草木摇落的声音。 [3]游程：在外漂泊的日子。遥：指时间长。 [4]枫桥：在江苏苏州阊门西。本名"封桥"，后因《枫桥夜泊》诗而改名。

赏析

好的诗人，必须是长于写情的。杜牧的这首七绝妙就妙在，

只写了当年与友人分别时的一幕，却无形中道出了与友人的深情厚谊。

起句写诗人回忆起长洲苑外的秋草萧萧，正是那个暮秋时节，诗人与吴秀才分别了。如今掐指一算，又过了好些日子，真是时光如梭。于是，诗人回想起分别时的情景，在黄昏的烟雾中，下着蒙蒙的秋雨，二人告别后，诗人独自踏过了枫桥。“不忘”二字，道出了当年的分别场景给诗人留下的深刻印象。情韵的渲染，很是雅致，这也是诗人后来对离别场景难以忘怀的原因。

全诗意境优美，明明是怀人之作，却没有一个字提出有多想念之语，只是从分别时场景的回忆，就已经传达出了对友人的无穷思念。

文史链接

枫　桥

枫桥，旧称封桥，在今天的苏州西北七里小镇枫桥镇，呈月牙形，横跨于运河支流之上。因它位于古代漕运要道之上，每当漕粮北运经此，就封锁河道，故名为“封桥”。

中唐诗人张继赶考落第，郁郁回乡，途经此处，写下了《枫桥夜泊》：“月落乌啼霜满天，江枫渔火对愁眠。姑苏城外寒山寺，夜半钟声到客船。”全诗意境优美，如美丽的山水画。从此，这座桥名声大振，桥名也正式改为“枫桥”，少了一些功用色彩，却多了无限诗情画意。

枫桥，这座普通的单孔石桥，因为一首《枫桥夜泊》诗而名扬千古，千百年来，凡是来苏州的游客，总要参观一下这座小桥，吟一吟这首《枫桥夜泊》，这就是唐诗的无穷魅力。

思考讨论

杜牧《赠别二首》之一写道："多情却似总无情，惟觉尊前笑不成。蜡烛有心还惜别，替人垂泪到天明。"结合《怀吴中冯秀才》一诗，体会二诗抒写离情的手法。

商山早行[1]

温庭筠[2]

晨起动征铎[3]，客行悲故乡[4]。
鸡声茅店月[5]，人迹板桥霜。
槲叶落山路[6]，枳花明驿墙[7]。
因思杜陵梦[8]，凫雁满回塘[9]。

注释

[1]商山：在今陕西商县东南。　[2]温庭筠（812—866）：字飞卿，太原祁（今山西祁县）人。官终国子助教，精通音律，工诗，与李商隐齐名，号称"温李"。　[3]征铎：驿站中催促行人出发的铃铎。　[4]悲故乡：思念、依恋故乡。　[5]茅店：茅草屋的小店，形容乡村旅店的简陋。　[6]槲（hú）叶：一种落叶乔木。　[7]驿墙：驿站的墙壁。驿，古代交通设施，每隔数里设置一个，作通讯之用。　[8]杜陵：西汉后期宣帝刘询的陵墓，这里指长安。　[9]凫雁：指野鸭。回塘：弯弯曲曲的池塘。

赏析

人生总有许多无奈，为了谋生，很多人不得不早早起来，尤其是远行的游子。他们远离故土，漂泊他乡，饱尝行旅的艰辛。这是这首诗的基调，即反映旅人之苦。

全诗一开始写行人们在早晨的征铎声中醒来，那铃声在催促着行人早起赶路，这使游子的心中不禁悲感交加，思念起远方的家乡。这个时候，天刚蒙蒙亮，鸡鸣声中，天际尚悬着一轮残月。但为了生计，或许是为了前程，旅客们的足迹已经踏上了那座小小的、还带着霜的木板桥。“鸡声茅店月，人迹板桥霜”这一联全是名词的排列，无一谓语连接词，却是中国诗最富美感、最典型的词语排列形式，不仅反映了游子早起奔波的悲辛，而且意境很美，极富诗情画意，可以说是“诗中有画”，故成为千古名句。接着第三联写游子在旅途中，看到了那纷纷的槲叶落满了山路，白色的枳花映亮了驿站的围墙。这一切和曾经待了多年的长安是那么相似，这惹得游子在晚上又梦到了那熟悉的地方，那里，野鸭落满了回环曲折的池塘。这是将梦境入诗，同样写得细腻、温婉。

全诗情景交融，有一股淡淡的忧伤，却更似一幅淡淡的中国山水画，充满了画面感，给人以美的享受。

文史链接

不羁才子温庭筠

温庭筠学富五车，文思敏捷，每次考试的时候，他双手叉在一起八次，便可作出一首极佳的八句律诗来，于是有“温八叉”之称。但他为人恃才不羁。开成四年（839），他第一次参加科举考试，没有及第。大中九年（855），他又一次去应考，这次考试，他不仅自己完成了题目，还顺便给八个人代笔写了文章，可见其才思的敏捷。这当然惹得主考官大为不悦，因此他又一次落榜了。

温庭筠后以“搅扰场屋罪”被贬隋县尉。后来官位虽然屡有升降，但他好讽刺权贵、仗义执言的性格不变，故遭到当时权臣的非议，使得他只能一生奔波四方，寄人篱下，以求衣食之继。

思考讨论

中唐诗人张继《枫桥夜泊》诗写道：“月落乌啼霜满天，江枫渔火对愁眠。姑苏城外寒山寺，夜半钟声到客船。”结合《商山早行》，体味古人行旅诗的写景之美及对旅愁的抒发。

金陵图[1]

韦　庄[2]

江雨霏霏江草齐[3]，六朝如梦鸟空啼[4]。
无情最是台城柳[5]，依旧烟笼十里堤。

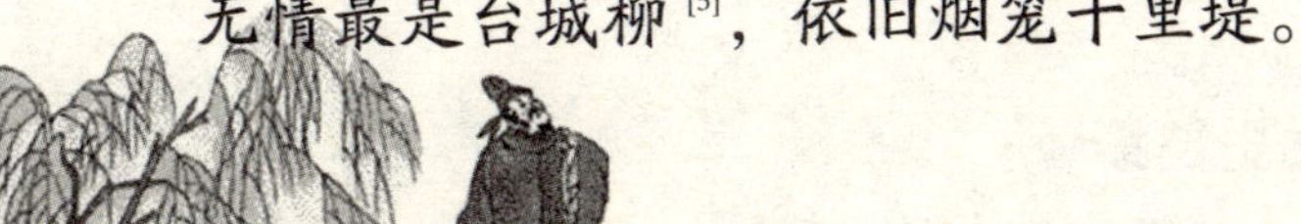

注释

[1]金陵图：一作《台城》。　[2]韦庄（836—910）：字端己，京兆杜陵人。乾宁元年（894）进士，授校书郎。曾奉使入蜀。天复元年（901）再度入蜀。唐亡，协助王建在蜀称帝，官至平章事。庄诗词兼擅，与温庭筠并称“温韦”。　[3]霏（fēi）霏：雨细密的样子。　[4]六朝：指三国吴，东晋，南朝宋、齐、梁、陈六个朝代。[5]台城：六朝建业城的旧址，在今南京市鸡鸣山麓，玄武湖边。

赏析

江南总是多雨，并且和北方的雨不同，总是纷纷扬扬、飘飘洒洒、如丝如絮，让多情的诗人又添惆怅。

这个多雨的天气，诗人独游台城，看到如丝的细雨、如茵的江草，不禁感慨这里曾经建立过的六个王朝都如梦幻般地消逝了，那阵阵鸟啼，似是为那逝去的王朝唱一曲挽歌。但那台城的柳树依然郁郁葱葱，笼罩着十里长堤，一点也没有为人世的悲欢而悲欢，真是无情啊！这里诗人用无理之语写出有情之怨，是对国家兴亡变化的深沉悲慨。

全诗写得朦胧含蓄，意境优美，营造出一种凄美的诗情画意，当是衰世之音，也象征着曾经煊赫一时的大唐王朝最终无可奈何衰落下去了。

文史链接

“六朝古都”南京

唐代以前，三国吴，东晋，南朝宋、齐、梁、陈都曾经建都南京，故南京有“六朝古都”之称，但同时，这几个王朝立国时间都比较短，最长的东晋不过持续了一百零三年，短命的南齐只持续了二十四年。但仅仅三百多年的时间里，竟然有这么多的王朝建都于此，这里演绎了那么多王朝的更替，展现了那么多历史的兴衰。这一切都使得后世文人到此游览的时候，产生吊古之感，从而产生了一系列著名的诗句，如李白的“吴宫花草埋幽径，晋代衣冠成古丘”（《登金陵凤凰台》），刘禹锡的“山围故国周遭在，潮打空城寂寞回”（《石头城》），杜牧的“南朝四百八十寺，多少楼台烟雨中”（《江南春》）等。南京城成了文学作品中表现盛衰之感、兴亡之叹的最好所在。

思考讨论

杜牧写过一首《夜泊秦淮》：“烟笼寒水月笼沙，夜泊秦淮近酒家。商女不知亡国恨，隔江犹唱《后庭花》。”结合《金陵图》一诗，体会二诗中表现出的盛衰感。

忆 昔

韦 庄

昔年曾向五陵游[1]，子夜歌清月满楼[2]。
银烛树前常似昼[3]，露桃花里不知秋[4]。
西园公子名无忌[5]，南国佳人号莫愁[6]。
今日乱离俱是梦，夕阳唯见水东流。

注释

[1] 五陵：指长陵、安陵、阳陵、茂陵、平陵五县的合称。均在渭水北岸，今陕西咸阳市附近。起初为西汉五个皇帝陵墓所在地。汉元帝以前，每立陵墓，后来迁徙四方富豪及外戚于此居住，令供奉园陵，称为陵县，后成为富豪聚居之地。 [2] 子夜：一种歌曲名，相传为晋代女子的名字。清：清脆悦耳。 [3] 银烛树：蜡烛围绕的树木。 [4] 露桃：指桃树。 [5] 西园公子：指魏文帝曹丕。无忌：战国时魏国公子无忌，封信陵君，以好客著称。这一句是合用两典，指出昔日游宴的盛况。 [6] 南国：南方。佳人：美丽的女子。莫愁：古乐曲中所传女子名。

赏析

根据诗意，这首诗当是唐亡后不久，韦庄入蜀后所作。全诗通过今昔对比，表现了深沉的故国之思。

韦庄出身宦门，早年的他也曾经文酒风流，日日流连于歌舞繁华的五陵之地，到了子夜时分，还是笙歌不息，取乐不止。那火树银花的盛况，惹得人常常以为这是白天；到处盛开的露桃，也让人忘记了秋天的到来。以上四句，通过昼夜的颠倒、时令的混淆，展现了当年纵情玩乐的畅快，展现了一位少年才子的风流生活。第三联更给自己及伙伴们冠以无忌和西园公子的美名，给那些陪在身边的歌女们取以古乐府中莫愁的佳名。所有这一切，都说明当时游乐之欢的畅快淋漓。而如今这些繁华景象、赏心乐事已经成为一场梦了。在那夕阳西下时分，诗人静静地看着江水东流，心中生出一种别样的感慨，大概美好的光景也像这江水一样，东流而去，再不复返了。“夕阳”、“流水”两个意象，将繁华消解殆尽，含无限悲凉于言外。

诗人将深沉的亡国之痛通过对比、比喻的手法写了出来，写得大起大落，可称为晚唐诗歌的绝唱。

文史链接

韦庄对故国的眷恋

韦庄是长安人，又曾在唐朝得到进士的功名，做过校书郎的官职，故他对故国的感情是比较深厚的。

晚年入蜀的韦庄，在他的诗词里表现过哀婉的故国之痛。他的一首《菩萨蛮》词写道："人人尽说江南好，游人只合江南老。春水碧于天，画船听雨眠。　垆边人似月，皓腕凝霜雪。未老莫还乡，还乡须断肠。"有人劝他终老江南，说江南多么好多么好，你应该留在这里，过一辈子。可是他的心还是在故国，在长安老家。只是现在兵荒马乱，唐朝已经亡了，自己无家可归了。于是他只能将这些深沉悲痛的心情都写入了诗词之中，希望后人明白他的心迹。

思考讨论

仔细体味《忆昔》与《金陵图》二诗所共同表现出来的家国之痛。

后 记

有一次，偶然看到某市小学一年级的语文课本中有贺知章的《回乡偶书》一诗："少小离家老大回，乡音无改鬓毛衰。儿童相见不相识，笑问客从何处来。""衰"字加了注音 shuāi。

衰，在此处应该读 cuī，在古义中有"等级次第的差别或依次递减"的意思，如《左传·桓公二年》："故天子建国，诸侯立家，卿置侧室，大夫有贰宗，士有隶子弟，庶人工商各有分亲，皆有等衰。"引申为减少、稀疏。结合贺知章的《回乡偶书》，这里"衰"的意思当指鬓毛减少、疏落，而不是衰老的意思。再从整首绝句的韵脚来看，"衰"字与首句"少小离家老大回"中的"回"和末句"笑问客从何处来"中的"来"，这三字在"诗韵"即"平水韵"中同属灰韵。

这些属于古代文化常识性的内容，过去龆龀蒙童均能脱口成韵，如今在专业教育出版社的小学语文教材中出现这样的差错，管窥一斑，不由得让人担忧。

读错一个字音尚是小事，倘若几代人不读"四书"、"五经"、唐诗、宋词……那中华民族真的就没有了灵魂。民族没有了精神内核，没有了灵魂，如何奢谈中华民族的伟大复兴？

我们承认现代教育将中国教育的视野引向更为广阔的国际空间，带来了许多新理念，给中国教育带来了活力。但是，如何在引入国际现代教育理念和现代教育方式的同时，坚守中国具有传承价值的优秀传统文化？如何在全面实施素质教育的同时，弘扬中国文化特色以保持中国文化特有的气质？这是当前中国教育值得深入研究的问题之一。

梁启超先生曾言："吾不患外国学术思想之不输入，吾惟患本国学术之不发明。"然而，本国学术思想之发明非一代人可以成就，须"由其民族自身传递数世、数十世血液浇灌、精肉所培壅，而始得开此民族文化之花，结此民族文化之果"。要国民热爱中国的传统文化，必须本国先民的成就有其可爱之处，而且要发扬国民精神，也当从固有的精神中有所抉发。

秋霞圃书院自2010年开始筹划编撰一套适合大众普及尤其是中小学生使用的"国学基本教材"，自小学至高中每学期能有一册在手，通过以长期渐进、系统地熏陶、滋养，使中小学生在潜移默化中亲近中国的历史与文化，并使中华传统文化在当下的社会生活中"活化"。当然这种"活化"不是简单的复古，而是在当代的语境中重新梳理中华文明的脉络，从中汲取适应时代需要、社会需要，乃至适应工业文明与后工业文明需要的养料，提炼出中华传统文化的核心价值，以此来滋养一代又一代学子，为中华民族的伟大复兴奠定基础。当然，这些愿景断非一己之力能及，而是需要几代人的不懈努力，我们所起的作用仅仅是抛砖而已。国内儒学研究领军学者之一、武汉大学国学院院长郭齐勇教授听闻我们有此愿望后鼎力支持，欣然担任本套教材的总顾问，协调资源，并为之作序；武汉大学国学院院长助理孙劲松先生、向珂博士在筹组编者队伍时提供了真诚无私的帮助。此后又蒙秋霞圃书院院长、历史学家沈渭滨，语言学家李佐丰，古典文献学者骆玉明、汪涌豪、傅杰、徐志啸等教授在谋篇布局上的悉心指点，形成了本套"国学基本教材"的框架。确定框架之后，我们邀请了武汉大学、复旦大学、华东师范大学、南开大学、中国传媒大学、中山大学、内蒙古师范大学、陕西师范大学、南通大学等高校人文学科中青年学人和江浙沪地区几位优秀的中小学语文教师参与编写。

全书成稿后，沈渭滨、王家范、骆玉明、傅杰、汪涌豪、杨国强、张觉、张新科、徐志啸、鲍鹏山等教授审读了书稿，并提出了宝贵的修改意见；86岁高龄的书法名家章汝奭先生为“国学基本教材”题写书名；《儒藏》总编撰、德高望重的北京大学教授汤一介先生为我们赠书“圣贤之道”；丰子恺先生后人为我们提供了精美而颇有意蕴的24幅漫画用作丛书封面；朱青生教授为我们提供了汉画文献用于插图；画家李永源先生逾古稀之年，为这套丛书手绘了上百幅插画；浙江古籍出版社社长杨林海先生是我故交乡党，听闻我有意筹划一套面向中小学生的“国学基本教材”丛书之后，青睐有加，多方努力协调资源，亲自落实该套教材出版的相关事宜……所有殊胜因缘，都在襄助秋霞圃书院矢志传播中华传统文化的大愿，唯有在此深揖致谢。

由于主持者与编者的学识有限，尽管悉心编校，但不足之处难免，敬请方家、读者指正，以便来年修订时，相应校正。

意见和建议可致电：021-66366439，13816808263。通信地址：上海市嘉定区南大街嘉定孔庙秋霞圃书院，邮政编码：201800，电子邮件：qiuxiapu@163.com。

李耐儒

癸巳春于嘉定孔庙